驚きの英国史

コリン・ジョイス Colin Joyce
森田浩之［訳］ Morita Hiroyuki

NHK出版新書
380

驚きの英国史　目次

はじめに

歴史はぼくの人生を変えた。

一〇代のころ、今でもすぐに思い出せるほど強烈に学校が嫌いだったとき、ぼくは伝染病にかかるという幸運に恵まれた。何週間か学校を休むことになり、家のベッドにひとりで寝かされていたのだけど、具合がそんなに悪いというわけではなかった。ほかにあまりすることがなかったから、ぼくは本を読みはじめた。

そのとき歴史の本を手にしたのは、もうほかの本を読みつくしたあとだったからだと思う。でもそれ以来、ぼくは歴史の本を手元から離したことがない。当時ベッドの中で、ぼくはヘンリー八世と次々に入れ替わった彼の妻たちのことを読んだ。「悪王」ジョンと、英雄視された兄リチャード獅子心王のことも読んだ。どの物語にも、これ以上はありえないくらい興奮させられ、ロマンをかき立てられた。そうしているうちに、ぼくは大変なことに気づいた。

これはみんな、本当に起きたことなのだ！

気がつけば歴史は、ぼくがそれまで読んでいた子どもっぽい空想物語の本より、はるかに関心をそそるものになっていた。

偶然にもそのころ、テレビで『ロビン・フッド』の新しいシリーズが放送されていた。ぼくはその番組を見て、史実に即したことが出てくるとちょっと満足感を覚え（「そうそう、ジョンは本当に税金を重くしたんだよ！」）、何か間違いを見つけるとさらに得意になった（「でもリチャードは、本当はイングランドに帰りたくなかったんだよ！」）。

そのころ、ぼくの頭の中では「本当の歴史」と、大衆文化のなかの歴史（史実にヒントを得て作られた映画や小説や演劇など）が結びついたようだ。ぼくはシェイクスピアの史劇をいくつか読んだ（マーク・アントニーがいちばんかっこいい役だが、リチャード三世も夢中にならずにいられない悪役だ）。ぼくが大好きだったのは『この私、クラウディウス』という小説で、ブリテン島を征服したクラウディウスの人生を、このローマ皇帝自身が語るという設定になっている（BBCのすばらしいドラマにもなった）。

大学で歴史のある時代を勉強したとき、ぼくはその時期の「背景」がわかる本を読むのに時間を使いすぎ、本当に読むべき本には十分な時間を振り向けなかった。もしこの本の中で、ぼくが何かを説明するために相変わらず映画や小説を持ち出そうとしていたら、どうか許していただきたい。ぼくの頭の中には、そういう回路がしっかり出来上がっているらしい。

歴史がわかると、ほかの分野の本ももっと面白くなる。ギュンター・グラスの『ブリキの太鼓』は名作だが、舞台になった都市の歴史を知っていれば二倍は楽しめる。ミハイル・ショーロホフの小説は、おそらくソビエト時代のロシア史に関心がなければ読んでも仕方ないだろう。

でも歴史を学んだために、ほとんど知らない分野に関心を持ったこともある。ぼくはデザインや建築にはあまり興味がないほうだったけれど、ワイマール共和国時代のドイツのバウハウスの物語には引き込まれた。クラシック音楽も退屈とは思わなくなった。ドミトリー・ショスターコビッチは悪くない作曲家だが、彼のソビエト当局との闘いを知っていれば、いくつかの交響曲にまったくべつの意味が加わってくる。交響曲第五番の物語は、それだけで一冊の本に値する。

そうこうするうちに、どんなものにも歴史が詰まっていることがわかってきた。ぼくらの住む町や田舎は、歴史を経たものから成り立っている。たとえば城、歴史にゆかりのある大邸宅、町を取り巻く壁、あるいは生け垣、あるいは遺跡……。イギリスの法律にも政府の制度にも、イギリス人の名前にも趣味にも文化にも、すべてに歴史的なルーツがある。ぼくたちが何かを考えるときの方法（もちろんそれは、ぼくらの頭の中にある）さえも歴史に影響されていることがある。

この世界に生きるうえで、ぼくらが歴史とかかわりを持たないことはないという見方は、ぼくの発見でもなんでもない。それをわざわざ書いているのは、ぼくがその点を理解するまでにあきれるほど長い時間を費やしたからであり、そこが理解できたあとは読むもの見るものすべてがいっそう面白くなったからだ。

ぼくは幸運にも高校時代に、歴史への愛情にあふれた授業をしてくれる二人の先生に出会った。ダウニー先生とリスター先生だ。二人は歴史に対するぼくの関心を引き出してくれ、時間を惜しむこともなく、じっくりつき合ってくれた。ぼくはそれまでとりえのない生徒だったが、二人の助言と励ましがあったからオックスフォード大学に合格できた。二人の先生には本当に感謝している。

大学では有名な歴史学者に教わることができた。そのうちの誰かがこの本を目にしたら、失望することは間違いない。どこからどう見ても、この本はアカデミックな本ではないからだ。むしろぼくがこの本でやりたかったのは、歴史の持つ魅力を少しでもとらえて伝えることだ。それは歴史を優れた物語にしてくれるだけでなく、ものごとが起きた原因や過程を明らかにするときにも助けになるような、ふとした出来事や意外な細部である。

ぼくはこの本で、すべてを網羅しようとはしていない。それよりも、自分が気に入っているエピソードやトピックのなかでもとくに面白くて、なぜものごとが今のようになっているかを理解するのに役立ちそうなものをえり抜いた本にしたいと思った。もしエセックス州のコルチェスターという町（ぼくが住んでいるところだ）を必要以上に多く取り上げていたり、アイルランド（ぼくの一族の出身地だ）の話がスコットランドやウェールズよりもはるかに多かったりしたら、読者にはぜひ寛容な気持ちでお許し願いたい。イギリス史の本を書けるというすばらしいチャンスをもらったので、自分にとって最も身近なことを少しからめて書いてみたいという誘惑に逆らえなかったのだ。

読者層を想定して書いているわけではないが、好奇心のかけらもなかった三〇年前のある男の子にもたらしたのと同じことをこの本でやりたかった。それは、もっと多くの（そしてもっと良質の）歴史の本を読んでみたいという好奇心に火をつけることだ。読んでいただいた方々の一部でも、歴史への関心をさらに深めてくれたらと切に思う。もしぼくが心配しているとおり、この本の扱っているテーマがどこかばらばらで、それぞれの話に深みがないと感じた読者がいたとしたら、それは大変申し訳ない。

林史郎と森田浩之はこの本にとって、それぞれ編集者と翻訳者という枠をはるかに超えた役割を果たしてくれた。彼らはすべての段階で、協力者であり相談相手だった。二人がいてくれたおかげで、この本がはるかにいいものになったことは間違いない。欠点があるとすれば、それはひとえにぼくの責任だ。

Chapter 1

中庸は国の心

クリスマス休戦

第一次世界大戦は大変な消耗戦だった。数百万の兵士が過ごした悪臭を放つ塹壕《ざんごう》は、戦争中のほとんどの期間、ほとんど位置が変わらなかった。兵士たちはこれらの塹壕から、数百メートル先の塹壕にいる敵の兵士たちを銃撃した。塹壕と塹壕のあいだには「ノーマンズ・ランド（中間地帯）」と呼ばれる泥んこの土地が広がっていた。

この戦争でもとりわけ意外な出来事が起きたのは一九一四年一二月のことだ。前線にいたイギリスとドイツの部隊がいくつもの場所で殺し合いをやめ、プレゼントを交換し、クリスマス・キャロルを歌い、ノーマンズ・ランドでサッカーの試合までやった。この自発的な「停戦」に両軍の将校たちは驚き、敵と親しくしてはならないという命令を厳しく下した（この戦争中、のちに同じ光景が繰り返されることはなかった）。

一九一四年のクリスマスまでにイギリスとドイツは五カ月近く戦っていた。だが戦う熱意はあっても、兵士たちはクリスマスが「地に平和を、人々に友愛を」もたらすときだと考えていたようだ。伝えられるところによれば、ドイツ兵が塹壕でクリスマス・キャロルを歌っているのがイギリス軍部隊に聞こえた。とくにドイツ語の「きよしこの夜」が聞こえたことが、「敵」も同じキリスト教徒だと気づかせることになったといわれる（もう少し正確に言うなら、敵も同じ人間だと気づいたということだろう）。

このとき行われたというサッカーの試合（何カ所かで行われたようだ）は、実によく知られている。あるイギリス軍兵士は、一チーム五〇人くらいで行われた試合のもようを記録しているから、きちんとした試合というよりは、ただのボールの蹴り合いのようなものだったのかもしれない。あるドイツ軍兵士は、両軍とも気合いの入った試合の末に「フリッツ（ドイツ兵）」が「トミー（イギリス兵）」に3—2で勝ったと記録している。

敵同士がいっしょにスポーツをやっている場面は感動的だが、これらのサッカーの試合が本格的な和平への動きにつながることはなかった。休戦が終わると、また戦争が日常になった。

この戦争はヨーロッパに大きな傷跡を残した。イギリス中のどんな小さな村にも戦争の記念碑があり、戦死者の名が数多く刻まれているのは、いま見ても痛ましい。同じ名字が並んでいることが多いのは、一族がたくさんの息子たち甥たちを失ったということだろう。とくに下士官は実際に銃弾にさらされたから、貴族の子息も数多く命を落とした。

第一次世界大戦のイギリス軍は「ロバが率いた獅子たち」といわれる。上官たちは熱意だけでは戦争に勝てないことを理解できなかったようだ。下士官は敵の塹壕を攻撃せよという命令が下るのを、いつも恐れていた。塹壕を出たら最後、すぐさま機関銃の銃撃にさらされるから、命令はほぼ確実に死を意味した。イギリス軍の司令官ダグラス・ヘイグは軍の革新に及び腰で、大人数で根性を武器に戦えば勝てると信じ込んでいたとして批判されている。

戦闘の多さと長さに耐えかねて、ついにドイツ軍が音を上げた。四年を超える戦争で九〇〇万人が死んだ。和平条約が締結され、戦争が分裂を明確にし、もっと悲惨な戦いになりかねない次の戦争への火種を残した。

歴史的な観点からすれば、クリスマス休戦はそれほど重要なものではないのかもしれない。しかしイギリス人は、この戦争のなかでは最も「正気」だった時間として大切に記憶している。

王様のシリング

大英帝国がその建設も運営も基本的にボランティアでまかなわれていたというのは、けっこう驚きだ。一部のヨーロッパ諸国とは違って、イギリスは第一次世界大戦の火の手が上がるまで徴兵制を敷かなかった（徴兵制は第一次大戦のあとに終わり、第二次大戦が始まるまで復活しなかった）。

ただし、「強制徴募」は例外だった。海軍は必要な場合に、商船の乗務員に対して海軍の船に乗るよう命じることができた。

たいていは民間の船に乗り込んで、乗組員を徴用していた。しかしいま多くの人々は、この形の新兵補充から、陸で活動していた「強制徴募隊」のことを連想する。海軍の任務は厳しく、戦時ともなると若者は入隊したがらなかったから、強制徴募隊に新兵候補をえり好みしている余裕はなかった。

理屈からいけば、強制徴募隊は船で働くのに適した人々（経験のある船乗りだ）を探し、それぞれの仕事で見習い中の若者を連れてこようとは思わない（彼らはそれぞれの分野で

底がガラス張りのジョッキー。コインが入っていないかどうか確認できる。

国に貢献できるはずだからだ）。だが強制徴募隊はときに港町の酒場に押し入り、そこにいる男たちを強引に連れてきた。この光景は海軍を扱った映画にもときどき登場する。たとえば『戦艦バウンティ号の叛乱』の冒頭のシーンだ。あるいは強制徴募隊が町なかで男たちを殴り倒し、意識を失わせて船に連れていくこともあった。

いうまでもないが、海軍に若者を集める目的で男たちのグループに酒場を襲わせるなどというやり方は、国が行う徴兵の方法としてはお粗末だし、効率もよくない。ここからわかるのは、新兵補充のために「そこまでやるのか」ということより、「そこまでしなくてはならなかったのか」ということだ。

しかしイギリス人のあいだにある徴兵への反感が手伝って、強制徴募隊は人々のイメージと記憶のなかであまりに大きな存在に膨れ上がったようだ。ある日どこかで突然連れ去られ、海軍で働かされることがあると聞いて、震え上がった子どもは決して少なくない（ぼくもそのひとりだった）。

強制徴募隊は軍が支給する給料を前払いすることもできた。これが「王様のシリング」と呼ばれた金である。

無節操な徴募隊は酒場に行き、とにかく今すぐ金が入り用にみえる若者や、まともな判断ができないくらい酔っぱらっている男を探した。ときには徴募隊が酒をおごってやり、ビールの金属製ジョッキーにシリングのコインを入れることもあったという。おごられた側がビールを飲み終えると、知らないうちにシリングを受け取っていたことに気づき、入隊せざるをえないことになる。

この姑息な徴兵のやり方は今も忘れられていない。底だけがガラス製の金属製ジョッキーもある（今でも買える）。コインが忍ばせてあってもわかるようになっているんだと、イギリス人は教えてくれるだろう。

落ち着いて行動しましょう

多くの人が「考古学」という言葉で理解しているものとは違うだろうが、ある古書店主が二〇〇〇年に、この世紀で「最も世間に受けた」といえそうな発見をした。

スチュアート・マンリーはノーサンバーランド州にある自分の古書店で箱をいくつかあさっているうちに、古いポスターを見つけた。シンプルなデザインで、赤地に白い文字が並んでいるだけのものだ。ところが数年のうちに、このポスターは大人気になった。今ではイギリス中の壁に貼られ、マグカップやキーホルダーにもなっている。誰もがひと目でそれとわかるくらいおなじみになり、とても愛されている。

物語は一九三九年にさかのぼる。イギリス中が避けたいと思っていた第二次世界大戦に、この国が参戦した年だ。ヒトラーとは戦わなくてはならなかったが、多くのイギリス人がこの戦争には勝てないのではないかという大きな不安をいだいていた。そこで情報省が国民を鼓舞するポスターを作ることになった。一連のポスターの三つめのものが「KEEP CALM AND CARRY ON（落ち着いて行動しましょう）」というまじめな言葉をしるしていた。

このコピーはポスターに限らず、トレイやショッピングバッグなど、さまざまな商品を飾っている。言葉を微妙に変えていることも多い。

六〇年後にマンリー氏が自分の店で見つけたポスターがそれだった。多くの意味でこれは驚くべき「発見」だった。なにしろ二〇〇万部以上が作成されたのに、ほんの数えるほどしか残っていない。このポスターは第二次世界大戦の最も暗かった時期にバスや店に貼られていたが、それ以降はほぼ完全に忘れられた。今となってはこの言葉を考えた役人の名前さえ記録にない。

これほどシンプルなメッセージが、最も緊張の高まっていた時期に書かれたというのも信じがたい話だ。同じころにウィンストン・チャーチルは「血と苦役と涙と汗」を惜しまないことを宣言し、「海で陸で空で、神がわれわれに与えたもうたすべての力をもって戦い、人類の暗く嘆かわしい犯罪の歴史においても前例のない残忍非道な独裁政権と戦う」ことを約束した。

しかしある意味でこのポスターは、戦争中でも自分たちにいつも問題が降りかかるわけではないとでもいうように、日々の仕事を淡々とこなしていた多くのイギリス人の日常をみごとにとらえていた。

同じシリーズのべつのポスターには「自由が危機に瀕している」と書かれていた。たしかにそのとおりなのだが、「落ち着いて行動しましょう」というフレーズは、気持ちを鎮めようというメッセージと行動をうながす呼びかけの絶妙な取り合わせだった。

　このポスターは今、オフィス（病院のナースステーションでとてもよく目にする）や一般家庭に飾られている。人気の秘密はメッセージの汎用性の高さにもあるのだろう。この言葉は、どんな状況のどんな人間にも当てはまるように思える（二〇〇七年に金融危機が始まったとき、このポスターはさらに人気を呼んだ。金融関係者がそこに希望のメッセージを見つけたからだ）。だがさらに重要な要因は、このメッセージが現在も当時もイギリス人の「自画像」にぴたりと当てはまることだ。

　一九三九年、イギリス人はナチス・ドイツの脅威にひるむことなく生きていた。最悪の事態が迫っていたときでも、人々は犬を散歩させ、仕事に出かけ、配給制の下でなんとか日々をしのいでいた。

　いまイギリス人は、当時の「イギリス人らしさ」を少しでも受け継いでいることを願っている。それは悪と真正面から対決するという偉大な勇気より、困難な状況の下でも日々をていねいに過ごそうという決意だ。武器を取れという勇ましい号令ではなく、自分の力ではどうにもならない事態のなかでも人々が手にしたいと願うことのできるものだ。

ロンドンで育った共産主義

イギリスには亡命者を受け入れてきた奇妙な歴史がある。ときには、彼らを受け入れさせたリベラルな精神とも相容れない過激な思想の持ち主をもてなしたこともある。最も有名な例はカール・マルクスかもしれない。数百万数千万の命を奪うことを正当化するのに使われたイデオロギーをつくり出した人物だ（彼自身はそんなことになるとは思っていなかったし、もちろん実際に手を下したわけでもないのだが）。マルクスはフランスとベルギーから追放されたのち、一八四九年にロンドンに移住し、残りの人生をそこで過ごした。

マルクスが共産主義の主要文献である『共産党宣言』と『資本論』の調査・執筆を行ったのはロンドンだった。大英図書館の読書室である。マルクスの墓は、ロンドンの有名なハイゲート墓地の目玉かもしれない。なんともみごとな像で、イギリス共産党（影響力はゼロに等しい）が一九五四年に寄贈した。

マルクスの友人であり、スポンサーであり、協力者だったフリードリヒ・エンゲルスもイギリスに住んでいた。若いときにはマンチェスターに、プロイセンを追放されたあとにはロンドンに住んだ。

一般的に言って現代では、ドイツやフランス、イタリアといった大陸ヨーロッパの国に過激思想の強い伝統がある。政府側と革命勢力側の両方にである。そのため国家は革命勢力を非常に恐れ、彼らを追跡して弾圧しようとした。イギリスでは政府側にも反政府側にも、その伝統がなかった。だからイギリスにやって来た外国の過激思想家たちは脅威とはみなされず、政府も弾圧しようと考えなかった。

マルクスの足跡をたどって、マルクス主義の信奉者たちがイギリスへやって来た。一九〇二年にはウラジーミル・レーニンも大英図書館への入館を認められ、そこで膨大な読書をしたといわれる。レーニンは図書

ハイゲート墓地に眠るカール・マルクスの最盛期はロンドンにあった。

レーニンとスターリンがよくいっしょにビールを飲んでいたといわれるロンドンのパブ「クラウン・タバーン」。

館から一キロ半ほど離れたクラーケンウェル・グリーンと呼ばれる小さくて気持ちのいい広場に事務所を構え、「イスクラ（火花）」というプロパガンダ新聞を編集してロシアの反体制派にひそかに送っていた（最初のころレーニンはイギリス料理があまり好きではなかったが、二階に屋根のないオープントップ型のバスやパブやフィッシュ＆チップスは好きになったようだ）。

一九〇二年にはレオン・トロツキーが流刑先のシベリアから逃亡し、ロンドンにいたレーニンと合流し、「イスクラ」の編集部員に加わった。翌一九〇三年、ロシア社会民主労働党（すな

レーニンとトロツキーが編集していたプロパガンダ新聞「イスクラ」は、「クラウン・タバーン」と同じ広場に事務所を構えていた。

わちレーニンとトロツキーの共産党だ）は第二回党大会をロンドンで終えた（大会が幕を開けたのはブリュッセルだったが、ベルギー政府に追い出された）。この党大会にはヨシフ・スターリンも参加していた。

伝えられるところでは、レーニンはクラーケンウェル・グリーンにあるクラウン・タバーンというパブでスターリンと会い、話をしていた。やがてロシアを内戦と恐怖と、国家の過失による飢饉に陥れる二人の男が、感じのいい小さなパブでビールをちびちび飲んでいる場面を想像すると、面白くて不条理な感じさえする。このパブは教会の隣にあり、金融街にも近く、宝石店街も目と鼻の先にある。二人が「あれもこれもみんな消えるべきだ」と話していたのではないかと想像すると、なんとも不思議だ。

ロシアの共産主義者たちの生涯をつづる伝記作家は、トロツキーとレーニンは後年になってもコスモポリタンな感覚をいちおう失わず、人道主義もわずかにそなえ、少なくともリベラルな民主主義も理解していたが、ロシアを離れたことがほとんどないスターリンにはそういう感覚がなかった……と書くことがあるだろう。実際のところ、この三人が自国民に対して働いた暴力の程度や他国の政府に示した姿勢には、ほとんど違いがない。三人とも非人間的なイデオロギーにからめとられた残虐な男たちだった。リベラルな民主主義に触れたとしても、彼らの根本が変わることはなかった。

イギリスではレーニンが一九一七年にロシアで権力を握る前に、労働者階級の利益になる本物の改革が行われていた。しかし警察国家のシステムに支えられた独裁制だけがめざすべき道だというレーニンの信念は、決して揺らぐことがなかった。

ついでに「あの男」の話

イギリスにやって来た過激思想の持ち主は共産主義者だけではなかった。若き日のアドルフ・ヒトラーが一九一二年ごろ、リバプールに住んでいたという奇妙な話がある。

この話は細部が面白い。ヒトラーの異母兄であるアロイス・ヒトラーが当時リバプールに住んでいて、ブリジット・ダウリングという名のアイルランド人女性と結婚していたのは間違いない。のちにダウリングが書いた回顧録（出版社を見つけることはできなかった）によれば、アドルフは彼らの家を訪れて六カ月滞在したという。

そのころのヒトラーの人生には空白の時期がある。彼はオーストリア軍の兵役を逃れていた可能性がある。一九一四年には第一次世界大戦でドイツ軍の一員として戦うことを志願したが、彼が「雑種国家」と考えていたオーストリア・ハンガリー帝国のために尽くすのは嫌だったようだ。

ダウリングの書いた物語は、一九三〇年代に有名になった義弟の名を使って儲けるためのでっちあげだという見方が大勢を占めている。ダウリングと息子は夫に捨てられていたから、てっとり早く金を工面したいと思ったとしても無理はなかった。

彼女の物語が事実だった可能性は低いかもしれないが、リバプールではかなり信じられている。リバプールの人々は、若いころのアドルフがリバプールＦＣのファンだったことを祖父たちが覚えていると言い、彼が静かに飲んでいたといわれるパブも何軒かある。アッパー・スタンホープ通りにある「ヒトラー・ハウス」は、第二次世界大戦中にドイツ軍の爆撃で破壊された。人生にありがちな小さな皮肉のひとつである。

この物語が事実かどうかが関心を呼ぶのは、なんとも不思議だ。ヒトラーの途方もない人生が生んだ途方もない事実の数々はよく知られているのだから。だが、ヒトラーのこの物語に魅せられているのはイギリス人だけではない。

もしかするとこれは、イエス・キリストがイギリスに来たという神話（これについてはあとで詳しく書く）の裏返しなのかもしれない。歴史上有数の尊敬される人物がこの島とかかわりがあったと思いたがるのと同じで、歴史上最も軽蔑される男がイギリスに、それもリバプールの郊外などという意外な場所に住んでいたかもしれないという話に興味をくすぐられるのだ。

Chapter 2

侵略と分断

ノルマン・コンクエスト

一〇六六年はイギリス史にとって最も重大な年だ。あまりに大きな年なので、イギリス史は「一〇六六年とその他」から成り立っているというジョークがあるほどだ。

まったくおかしな話だが、このとき何が起こったかはなんとなく知っているだけというイギリス人は少なくない。この国で外国からの侵略が成功した最後の例だということは知っているが、実際に何が起きたかは詳しく知らないし、もっと重要なことに侵略がもたらしたひどい影響もわかっていない。

この年の初め、エドワード懺悔《ざんげ》王が亡くなった。彼には息子がおらず、後継者も明確にしていなかった。王妃の兄ハロルド・ゴドウィンソンがこの機に乗じ、自分が王となることを宣言した。たしかにハロルドは、イングランドの支配階級からは支持を受けていた。

北フランスでは、ノルマンディー公ウィリアムが腹を立てていた。王位は自分に約束されていたと思っていたためだ。さらに面倒なことに、ノルウェー王のハラール苛烈王がこの混乱を利用して、イングランドに権力を拡張しようと考えた。

一〇六六年に起きた思いがけない出来事のひとつが、ハレー彗星の出現だった。人々はこれを不吉な前兆だと考えた。神様が機嫌を損ねている証拠だと考える人たちもいた（機嫌を損ねた理由については、さまざまな意見があった）。

九月になって、ノルウェーのハラールが北方からイングランドに攻め入った。ハロルドは兵を差し向け、スタンフォード・ブリッジの戦いでハラールの軍を破り、ハラール自身も戦死した。

歴史はハロルドにやさしくなかった。彼が王位に就いていた期間はほんの数カ月で、ノルマンディーのウィリアムに敗れてしまうのだ。ハロルドは軍事的指導者として優れており、ノルウェー人に勝ったことはその証拠でもあった。しかし数週間後にヘイスティングズの戦いで敗れたため、スタンフォード・ブリッジでの勝利はほとんど忘れられている。いま「スタンフォード・ブリッジ」と聞くと、たいていのイギリス人はサッカー・プレミアリーグのチェルシーのホームスタジアムを思い浮かべる（この戦いにちなんでつけられた名前ではない）。

ウィリアムは陸海軍を結集させ、イングランドへ渡るのにうってつけの風が吹くのを待っていた。何週間か待って風が来たのは、驚いたことにスタンフォード・ブリッジの戦いのまさにその日だった。しかもイングランド南岸にいた見張りたちは、冬も近づいてきたからウィリアムの軍勢は春までやって来ないだろうと考えて故郷に帰っていた。だからウィリアムの軍は、ハロルド王の軍が北方に行っているときに、南方から楽に上陸できた。

両軍はヘイスティングズで相まみえ、ウィリアムが勝ち、ハロルドは戦死した。長く激しい戦闘で、一時はイングランド軍が勝利に近づいた。しかし北部に遠征し、また南へ戻り、そのあいだに激しい戦いを経験していたことから、軍はすっかり疲弊していた。

この戦いを後世に伝えるため、ノルマン人によって長辺七〇メートルの刺繡画「バイユーのタペストリー」が作られた（プロパガンダ・アートのはしりといっていい）。よく知られていることだが、ここには目を矢で射抜かれている男が描かれており、長いことハロルド王の戦死のシーンだとされてきた。しかも、その男の絵の上には彼の名前が書かれている。だが、この矢はのちに加えられたものであることが最近になってわかった。歴史学者によれば、当時の史料ではハロルドは刺し殺されたとされている（もちろん、矢によって目だけをやられた可能性はある）。

ウィリアムは兵士を集めるときに略奪を働いてかまわないと言っていたし、抵抗したイングランド人にはまったく同情を示さなかった。イングランドは彼の戦士たちのあいだで

ノルマン人によって作られた刺繍画「バイユーのタペストリー」の一部分。ハロルド王の戦死を表した場面とされてきた。© TopFoto / アフロ

分割され、ずたずたにされた。反抗する者たちは厳しい罰を受け、男も女も子どもも殺され、作物は焼かれた。これを中世の「民族浄化」と表現する人もいる。

二〇〇万人のイングランド人を支配するために、二万～三万人のノルマン人が乗り込んできた。支配層は丸ごと入れ替わり、イングランド人は自分たちの国なのに二級市民になってしまった。ノルマン人はイングランド人とほとんど結婚しなかったので、この状況は何世代にもわたって続いた。

以前なら村人たちは地元の指導者

ノルマン人は領土を保持するため、イギリス全土に約1000カ所の城を築いた。
コルチェスター城もそのひとつ。

に不満を訴えることができたが、そんな相手もいなくなった。しかも支配者は同じ言葉を話さず、べつの世界観を持っていた。

ノルマン人はイングランドの景観も大きく変えはじめ、当時は大変な事件になった。彼らは地元民の手からわが身を守るために、「モット・アンド・ベイリー」と呼ばれる城をいたるところに建てた。小山（モット）を造り、その上に外壁（ベイリー）を張りめぐらせたものである。ロンドン塔やコルチェスター城など現在は名所になっている城もあるが、当時は圧政の象徴だった。数十年のうちに実に約一〇〇〇カ所の城が建てられた。ある批評家は、ノルマン人はこの国を「はしか」にかからせたと表現した。

信じがたく、同じほど恨めしくなるのが「ノルマン人の森」だ。ノルマンの王族は狩猟が好きで、そのため広大な領地を「王家の森」に指定した。最も広いときでイングランド全体の三分の一にも及び、エセックス州（ぼくの故郷だ）は州全体が王家の森とされた。「王家の森」はほとんどが森なのだが、すべてがそうとは限らない。どちらかといえば、王家が保有していて、おびただしい制限が課される土地であることを示す言葉だ。王家の森に指定されると、農民たちが立ち退かなくてはならないこともあった。引き続き住むことを認められた者も土地の開拓は禁止され、たきぎを取るために木を切ることも厳しく制限され、猟犬を飼ってはいけなかった（番犬は牙を抜いたうえで飼うことを許された）。

そしてもちろん鹿やイノシシなどの動物を狩ることは、王と彼が認めた少数の人間にしか許されなかった。この制限を犯すと、吐き気を催すような罰が待っていた。王家の森で鹿を殺した者は去勢され、目をえぐり出された。

ノルマン人が環境保護主義の先駆者でなかったことは間違いない。むしろ王家の森は、国家の支配を強め、歳入を増やす道具になった。たとえば王家の森の中にあるとされた宗教施設のなかには、飼っている家畜が草をはむ権利を取り上げられたところもあった。王家の森に住んだ者には罰金や税金が課せられ、その理由はいくらでもあげることができた。

伝説上の人物であるロビン・フッドが王家の森に住んでいたとされていたのは偶然ではない。そこに自由に住んでいることだけで、彼は不当な法への抵抗を示していた。封建貴族たちがジョン王に受け入れさせたマグナ・カルタに、「森に関する法令」を制限する条項が数多く含まれていたのも当然のことだった。

しかしそれはずいぶんあとの話であって、一〇六六年に生きていた人たちが存命中のことではなかった。ノルマン・コンクエストからの数十年は、殺伐とした抑圧と苦痛の時代だった。

王家の森、謎の殺人事件

ノルマン人が狩猟への執着から臣民たちにひどい仕打ちをしたことを考えるなら、あるノルマン人の王が新たに設けられた「王家の森」で狩りを楽しんでいるあいだに死んだことには、一定の正義がある。

この事件は歴史上指折りの大きな謎だ。もうぼくたちは、ウィリアム二世（赤顔王）の死がただの事故だったのか、それとも計画された暗殺であり、血も涙もないクーデターだったのかを知ることができないからだ。

ウィリアム二世は、ある日狩猟に出かけ、そのまま帰らぬ人となった。流れ矢が当たったのか、それとも殺人だったのか。Ⓒ Getty Images

ウィリアム赤顔王は、一〇八七年にウィリアム征服王のあとを継いだ。一一〇〇年八月、彼はニュー・フォレストで、狩猟仲間であるウォルター・ティレルの放った矢に当たって死んだ。ティレルはすぐにフランスへ逃げた。王の弟ヘンリーもこの狩猟に同行していたが、彼も素早く姿を消した。ヘンリーはウィンチェスターへ急ぎ、王家の財宝を確保すると、翌日にロンドンで即位した。ウィリアム王の遺体は死んだ場所に放っておかれ、伝えられるところではパーキンスという名の炭焼き人が発見し、手押し車にのせてウィンチェスター大聖堂まで運んだという。

ヘンリーのとった毅然とした行動は、想定外の状況に対する機敏な反応だったのか、それとも入念に練った計画を実行したものだったのか。ティレルが素早くフランスへ逃げたことにも、同じ疑問が残る。王の遺体がその場に残されたのは、同行者たちがあまりにあわてたためなのか。それとも彼らがすぐに立ち去ったのは、ほかにやるべきことがあると知っていたからなのか。

誰が犯罪をはたらいたかを突き止めようとするとき、ローマ人は「誰の利益になるか」を考えた（この事件の場合には、そもそも犯罪なのかどうかを考えるヒントにもなる）。何より明らかなのは、ヘンリーが王になったことで利益を得たということだ。しかし、ティレルの一族も利益を得ている。彼の二人の義理の兄弟は新体制の下で厚遇を受けた。

当時の記録からわかるさらに興味深い情報がある。ティレルは弓が抜群にうまかった。誤って人を撃つとはとうてい思えない。

ウィリアム赤顔王の死には政治や家族の問題もからんでくる。ウィリアム征服王の息子たちは、あつい兄弟愛で知られていたわけではなかった。ウィリアム赤顔王は父からイングランド王国を与えられたが、兄のロバートはノルマンディー公国しかもらえなかった。父が死ぬと二人は争い、ヘンリーもウィリアム赤顔王を継いだあとロバートと争った。

王国を統治するというのは、ただ王冠を戴くことではない。ウィリアムの統治の仕方によって、多くの臣民は王から気持ちが離れていった。ウィリアムは教会の権力に対抗し、多数派のアングロサクソン人に対してはノルマン人として軽蔑を隠さなかった。彼の統治は不満を生んでおり、そこに抜け目ないライバルがつけ込むすきがあった。

ヘンリーは王になってから教会との関係を修復し、アングロサクソンのより寛容な法律の伝統を率直に支持した。しかもヘンリーは、アングロサクソン系の王家の子孫とすぐに結婚した。これで彼には、他のノルマン人よりはるかに民族間の統合に積極的だというイメージが生まれた。ヘンリーは臣民に好かれる方向へと動いていた。

ヘンリーには兄を殺す動機があった。彼は疑念をもたらすほどの素早さと、事前に準備したかのような判断力で王位を確保した。これらの理由からヘンリーが兄の殺害を策謀したと結論づける歴史家もいる。

しかし、明らかな証拠をもとにしてヘンリーを法廷で有罪にできるかどうかはまったくべつの話だ。彼は間違いなく無罪になるだろう。少なくとも「合理的な疑い」をさしはさむ余地があることが理由になる。

実際、もしぼくがヘンリーの弁護人だったら、狩猟では事故が起こるものだと主張するだろう。たとえば、ウィリアム征服王の四人の息子に起きたもうひとつの例をみるだけでいい。二男のリチャードは一〇八一年にニュー・フォレストで、狩猟中の事故によって死んでいた。それに、ヘンリーが二人のライバルの死を、同じ方法で同じ場所で、二〇年の時を隔てて画策したなどとは誰も言っていないわけだし……。

聖スコラスティカの日の戦い

オックスフォードの町は、ある理由から世界中に知られている。世界で最も古く最も優れた高等教育機関のひとつであるオックスフォード大学があることだ。こう書くと、オックスフォードの住民は大学をとても誇りに感じていると思うかもしれないが、実際には住民と学生のあいだに緊張が走ることがたびたびあった。

最も衝撃的なのは、一三五五年にこの町で内戦ともいえる出来事が起きたことだ。数十人の学生が死亡し、学生と大学関係者の半数以上が町から逃げ出した。秩序を回復し、学生たちを町に戻すため、王が乗り出す事態にまで発展した。

ことの発端は、二月一〇日の聖スコラスティカの記念日にパブで起きたつまらないいさかいだった。町の中心部にあるスウィンドルストック・タバーンという店で、二人の学生が飲み物を注文した（このパブがあった場所にはいま記念碑が立っている）。二人はワインの質がよくないと感じ、店の主人に「頑とした乱暴な口調」で文句を言った。険しいやりとりが続き、二人の学生は店主にワインをかけ、殴った。

ふつうなら、学生たちは法にのっとって処罰されると思うだろう。しかし中世のイングランドでは学生は修道会のメンバーだったため、町の法令が適用されなかった。パブ店主の親族や友人が学生の処罰を求めると、大学はこれを拒否し、他の学生たちは教会の鐘を鳴らして大学が攻撃されていることを伝えた。こうして住民と学生の衝突が始まった。

翌日、オックスフォードの人々に加勢するため、近くの町の住民が駆けつけた。攻撃が始まり反撃が起こり、六〇人以上の学生が死んだ。弓矢で武装した八〇人の住民が学生たちを襲った例もあった。学生と大学関係者は大半が町から逃げ出し、もっと安全なリンカンシャー州スタムフォードに腰を落ち着けた人たちもいた。

当時、たまたま近くのウッドストックという村にエドワード三世が滞在していた。衝突のあいだ、両派はそれぞれ自分たちを支持するよう王に訴えた。ついに王は、学生側に理があるという裁定をきっぱりと下した。住民たちは騒乱を引き起こしたことで罰せられ、学生たちは処罰を免れた。大学の権利が尊重・拡大され、町の権利は軽視・縮小された。以後、毎年の聖スコラスティカの記念日には、オックスフォードの市長と幹部が懺悔のミサに出席し、大学に寄付をすることとされた（つまり罰金である）。この伝統は一八二五年に当時の市長が寄付を拒むまで続いた（寄付金額は五〇〇年近く前に定められたものなのでほんのわずかだったが、それでも屈辱感はぬぐえなかったはずだ）。

かなり野蛮な時代だったことは間違いない。男たちは武器を持ち、必要なときには使えるようにしていた。学生たちは傲慢で特権的な地位にあった。住民たちは学生向けの商品やサービスには「特別料金」をふっかけていたかもしれない。

学生と住民の衝突自体は珍しくはなかったが、一三五五年のこの騒乱は注目すべきものだった。「公平」な時代ではなく、両者の主張が細かく調査・検討されたわけではない。

王は誕生してまもない大学を後押しすれば、教育ある国民と高い学識が自分のもとにもたらされ、国の将来に役立つことを知っていた。町の人々の不満は二の次だった。

事実、オックスフォード大学はイギリスにとって非常に重要な教育機関でありつづけている（たとえば戦後の首相一三人のうち九人を輩出している）。この騒乱で学生の半数ほどがスタムフォードに移って大学が早々に分裂していたら、あるいは王が大学の地位をこれほど明確に守ることがなかったら、世界有数の大学の発展はまずいワインのせいで大きく損なわれていたかもしれない。

ガイ・フォークス

歴史学者のあいだではあまり相手にされていない「反事実歴史学」と呼ばれる分野がある。この分野が扱うのは「もしも……だったら」という仮定のシナリオだ。とりわけ、とても小さな出来事やわずかな偶然から歴史に転換点がもたらされたと思われるケースを検討する。もしもハロルド・ゴドウィンソンがヘイスティングズの戦いに勝っていたら、もしも一九一四年にフランツ・フェルディナント大公の乗った車が暗殺者の前をすんなり走り抜けていたら、もしもアドルフ・ヒトラーが一九四四年の爆弾暗殺計画を生き残るほどの強運の持ち主でなかったら……。

この分野の大きな問題のひとつは、仮定が重要な点にかかわるほど結論を導きにくくなるということだ。たとえば一九一四年にフランツ・フェルディナントが暗殺されず、彼の死が引き金となった第一次世界大戦が起こらなかった場合を想像したとしても、過去一〇〇年のヨーロッパの歴史は人間の頭ではまったくべつの物語で埋められないような空白と化すだけだ。

ぼくは一六〇五年にもう少しで起きたかもしれない出来事の結末を想像しようとは思わないが、ことの成り行きがほんの少しだけ違っていたら、イギリスの歴史が大きく変わった瞬間だったことは間違いない。もしもガイ・フォークスの共謀者たちが口をつぐんで計画をばらさなかったとしたら……。

ぼくたちはテロリズムを現代のものと考えがちだ。だが史上最もすさまじいテロ計画は、一六〇五年の火薬陰謀事件かもしれない。ガイ・フォークスとカトリック教徒の共謀者たちがロンドンの国会議事堂を爆破してプロテスタントの王を殺し、カトリックのライバルを王位に就けようとたくらんだのだ。

この企ての大きさには息をのむし、現実のものになったときの被害はすさまじい。ただし驚くのは、計画があまりに単純だったことだ。カトリックの一味はウェストミンスター宮殿（国会議事堂がある）の地下にある貯蔵室を借り、火薬を入れた三六個の樽でいっぱいにした。議事堂を爆破するには十分な量だった。計画はジェームズ一世が議会の開院式に出席する日に実行される手はずになっていた。

ウェストミンスター宮殿の地下にある貯蔵室で、火薬の見張りをしていたガイ・フォークス。陰謀は失敗に終わった。Ⓒ Getty Images

結局は、この陰謀が無差別に被害をもたらす点が弱みになったふしがある。議会はプロテスタントが支配していたが議員のなかにはカトリックもいて、陰謀グループは彼らに開院式に出席しないよう警告せずにはいられなかったようだ。ここから当局になんらかの企てが進行中だという情報が漏れた。

一一月五日、議事堂が捜索され、火薬の見張りをしていたフォークスが捕らえられた。以来イギリスでは、毎年この日に陰謀の失敗を祝う行事が行われている。花火が打ち上げられ、ガイ・フォークスを模した人がたが、かがり火で燃やされる。

テロリストはよく臆病者といわれる。人を殺すために爆弾を仕掛け、自分たちは逃げるからだ。しかしテロリストがロマンチックな言葉で形容されることも多いのは、命を賭けてまで国家権力に反抗しているためだ。

フォークスにはこの両方の側面がある。彼は大量殺戮を企て、自分はその場を逃れて大陸ヨーロッパへ渡ろうとしていた。しかし捕らえられたあとに彼は、王を殺そうとしていたことを隠さずに認めた。その一方で、拷問にかけると脅されても本名を言わず、共謀者の名も明かさなかった。

ついにフォークスは拷問にかけられて自白した。陰謀が失敗したなら、フォークスが野蛮な死刑にかけられることは間違いなかった。「引き回し、首吊り、内臓えぐり、四つ裂き」というのが当時の方法だった。フォークスはこのうち一部は受けずにすんだ。首吊りのときにちゃんと首の骨が折れるよう、処刑台から飛び降りたためだ。

フォークスは陰謀グループの一員にすぎず、首謀者ではなかった。しかし一二人の共謀者の名前をひとりでも覚えている人は、今はもうほとんどいない。そのりっぱな口ひげとあごひげとともに、フォークスは偶像化されている。イギリスで彼は四〇〇年にわたって悪党として攻撃されてきたが、ここ最近は世界中で異色のヒーローになっている。彼は「暴虐に抵抗する者」の象徴になった。

さまざまな抗議行動に(抗議する相手が銀行家でも政治家でも、あるいはサイエントロジーでも)、人々はガイ・フォークスのマスクをかぶって参加し、顔を隠すとともに自分たちの反逆心と団結を示すようになった。ガイ・フォークスは第二のチェ・ゲバラともいえる。この二人の反逆者は、どちらも外見に際立った特徴があり、どちらも国家に殺されたことで彼ら自身の象徴した野蛮な現実とはかけ離れたロマンにあふれるイメージに包まれている。

ガイ・フォークスのマスクをかぶっている人たちは、もしも彼がのちに世界の議会制度のモデルになった国で国家元首の殺害と議会の破壊に成功していたら、今ごろ世界はどうなっていただろう……と考えてみてもいいのかもしれない。

奴隷制とその廃止

イギリス人は奴隷制によって裕福になった。重要な事実なのにイギリスでは無視されがちなことなのだが、この国は近代史でも有数の残虐行為に加担し、そこから倫理にもとる収益を得ていた。奴隷貿易による経済的利益があったからこそ、この国は世界最強の海軍を建造し、帝国を築き上げ、「ブリテンの民は、断じて断じて断じて、奴隷にはならない」(「統治せよ、ブリタニア」の歌詞、一六一ページ参照)と宣言できたのだ。

イギリスはすでに一七世紀後半に「三角貿易」と呼ばれるシステムをつくり上げていた。まず、イギリスの船が西アフリカへ物品を運ぶ(布や銃、ブランデーなどだ)。この船は北アメリカやカリブ海の植民地へ行き、砂糖やたばこ、綿などをイギリスに持って帰る。アメリカへ行くときに積み荷がない(つまり収入がない)状態を避けるため、イギリス人はアフリカで奴隷を買いつけ、アメリカで売るようになった。これら三つの貿易路のなかで、アメリカへ奴隷を運搬するのは「中間航路」だった。

この航路が生き地獄だったことは間違いない。奴隷たちは焼き印を押され、鎖につながれ、船倉に重ねられた。目的地に「到着」したところで解放されるわけではなかった。アフリカ出身の男女の奴隷労働力は、血も涙もない主人たちによって何世代にもわたり搾取されつづけた。プランテーションの経営者には富をもたらし、イギリスの消費者にはより安い商品をもたらした。リバプールやブリストルなどの港町は奴隷貿易による利益によってつくられ、当時の指導者（貴族や政治のエリート層）は奴隷貿易に出資していた。

しかしイギリス人はこのビジネスの性格上、この国が本当にやっていることと真正面から向き合わずにすんだ。「中間航路」で運ばれる奴隷たちはイギリスを通らなかった。奴隷制はイギリス本土にはなかったから、その野蛮さをじかに目にするイギリス人はほとんどいなかった。イギリスの権力者は奴隷を直接には所有していなかったので、ジョージ・ワシントンやトマス・ジェファーソンなど自由を愛しながらも奴隷を所有していたアメリカ人がやったように、自分たちの信奉する原則を直接侵すこともなかった。

たいていの場合、奴隷制はイギリスにとって都合のいい距離を置いたところで起きていた。奴隷貿易がイギリスを潤していることはよく知られ、理解もあった。だから人々は奴隷制に対して見て見ぬふりをしたし、反対の声を上げれば非国民と思われるようになった。

それでも初期のころから、奴隷貿易の禁止を主張する勇気ある人たちがいた。歴史家のデイビッド・レイシーが書いているように、清教徒の聖職者だったリチャード・バクスターは早くも一六六〇年代にはキリスト教の立場から奴隷制を批判していた。「人間をけだものと同等に扱うとは、なんと呪われた犯罪だろうか」と彼は言った。

奴隷制廃止運動を語るとき最も頻繁に登場する人物がウィリアム・ウィルバーフォースだ。彼は二〇年以上にわたってこの運動の先頭に立ち、そこから一八〇七年の奴隷貿易法（イギリス人の奴隷貿易を禁止した）や一八三三年の奴隷制廃止法（大英帝国内での奴隷制を違法とした）が生まれた。アメリカでは奴隷制廃止の動きが南北戦争につながったが、イギリスでは幸いにもそんなことはなかった。

奴隷制廃止運動には、ほかにも著名なイギリス人が関係していた。たとえば有名な陶器メーカーのオーナーであるジョサイア・ウェッジウッドは、鎖につながれた奴隷を描いたメダルを作り、そこに「私は同じ人間であり兄弟ではないのか」という言葉を添えた。この文句は反奴隷制運動のスローガンになった。

画家のＪ・Ｍ・Ｗ・ターナーも奴隷制に反対していた。彼は一八四〇年に、奴隷制の世界的な禁止を支持するすばらしい作品を描いている。『奴隷船』というその絵は悪夢を描いたかのような作品で、一七八一年に起きた身の毛もよだつ出来事をもとにしている。冷血な船長が、病気になった奴隷一三二人を鎖をつけたまま海に投げ捨てることにした。そうすれば保険金を請求できるが、目的地の港に着いたあとに奴隷たちが死んで売れなかった場合は保険金が下りないからだ。女性と子どもを含む一三二人の奴隷が殺された奴隷船ゾング号の物語は、イギリス史に大きすぎる汚点を残している。

イギリスが奴隷制に果たした役割は恥辱にまみれているが、それでも奴隷制を廃止したことは誇りの源になっているともいえる。イギリスは奴隷貿易を道徳的な理由から禁止した。どれほど金が儲かり、どれほど（狭い意味での）「国益」になろうとも、あまりに倫理にもとる行為を続けることは許されないと判断した。大半のイギリス人にとって奴隷制は見えにくいものだったが、この国はもう目をそむけないことを選択したのだ。

フォークランド紛争

一九八二年四月二日、数百万数千万のイギリス人が驚くべきニュースにたたき起こされた。名前は聞いたこともないけれど、どうやらイギリスの領土であるらしい島々が、まったく知らなかったけれど、その領有権をめぐって歴史的にもめていたらしい相手国の軍隊に占領されたというのだ。

イギリスが眠っているうちに、アルゼンチン軍は南大西洋に浮かぶフォークランド諸島(アルゼンチン人にはマルビナス諸島の名で知られる)に上陸し、本土との「再統一」を宣言した。しかし一八〇〇人ほどの島民は、自分たちはイギリス人であり、島とアルゼンチンのあいだに歴史的な関連はまったくないと確信していた。多くの島民の先祖がフォークランドに渡ったのは、アルゼンチンという国が生まれる前だった(島民は車を運転するときに左側通行を続け、占領に対する抗議の意思を示した)。

この事件はイギリスの世論に衝撃を与え、強烈な感情に火をつけた。占領を祝う群衆がブエノスアイレスの街を埋めつくす光景をテレビが伝えると、イギリス人は驚きの目で見つめた。そしてこの島々が軍事独裁政権に奪われたことを知り、なんとも嫌な気持ちになった。

当時の首相マーガレット・サッチャーは島々の奪還を命じ、そのために「機動艦隊」が約一万三〇〇〇キロ先にまで送られた。歴史の流れのなかでは大きな戦争とはいえない。それでも大変な事業であることは間違いなかったし(軍をそんな遠くまで送るのはイギリスにとって簡単ではなかった）、両国に大きな影響をもたらす出来事になった。アルゼンチン軍の侵攻から七四日後に、イギリスは島々を奪い返した。九〇〇人以上の命が失われ、そのうち六四九人がアルゼンチン人だった。この直後にアルゼンチンでは、レオポルド・ガルチェリ将軍の政権が倒れた。

一方のサッチャーにとって、この紛争は待ちに待った強い追い風になった。サッチャー政権は不人気にあえぎ、高い失業率と高い金利に悩まされていた。今ならイギリスがインフレを抑制するために必要とした経済の「良薬」の作用だとわかるものだが、当時は「患者」が薬自体を飲むのを嫌がった。

フォークランド紛争の勝利によって、サッチャーは翌一九八三年に総選挙を実施し、圧勝を収めることができた。彼女にはこれで、国内での「革命」を続行する時間と信任が与えられた。労働組合の影響力をそぎ、税と公共投資を減らし、国営企業の民営化へと大きく舵を切った。

そのときイギリスに住んでいた人なら、フォークランド紛争によって高まったイギリスらしくない愛国的な熱い空気を覚えている。ある友人の話では、彼の父親は政治的にはずっとリベラルだったのに、このときは軍に志願して国のために戦いたいと考えていた（イギリスにはプロの軍隊があるから、フォークランドにまで志願兵を連れていくと考えること自体がおかしいのだが)。

ぼくは学校である日突然、何かの行事の初めに国歌を歌うから練習することになったと言われたのを覚えている。誰も歌詞を全部は知らなかったので、わからないところは「ラ〜ララ〜ララ〜ラララ〜」とふざけて歌っていたら、音楽の先生にひどく怒られた。今は「国の非常時」なんだぞと、その先生は言った。

ぼくの両親が、あるパブにランチを食べに行かなくなったことも覚えている。その店は部屋のひとつを「愛国者たちのバー」という名前に変え、壁にはフォークランドで撃沈されたイギリスの戦艦の写真を飾った(今でも「フォークランドおたく」はこの六隻の船舶の名前を空で言える)。

大衆紙は戦争に大はしゃぎだった。愛国的な女性たちがポーツマスを出航する艦隊を見送るために、バストをあらわにして振ったなどという記事を載せた。サン紙はアルゼンチンの巡洋艦ヘネラル・ベルグラノを撃沈したことを祝って、「やった!(GOTCHA)」という悪名高い見出しを載せた(アルゼンチンの乗員三二三人が死亡した)。この戦いで戦死してビクトリア十字勲章を受けた〝H〟・ジョーンズ中佐は英雄視された。

戦況は実に細かく伝えられた。新たな情報を毎日発表する政府のスポークスマンは有名人になり、いいニュースを本国に伝えられる幸運に遭遇した記者の一部は出世街道を歩みはじめた。

アルゼンチン人にとって、イギリス人は島を奪った海賊に映った。© SSPL via Getty Images

イギリスの大衆紙はフォークランド紛争ではしゃぎ回った。サン紙の過激で悪名高い第一面の見出し。

当時は注目されたのに、すぐに忘れ去られたことだが、アルゼンチンがフォークランド侵攻を決めた裏には、イギリスにこのまま島々を保有しようという意思がないようにみえたという要因があった（つまり外交政策上の失敗である）。そしてイギリスの勝利は、アルゼンチンの失敗のおかげだった（気の短い兵士たちが南大西洋の要衝であり、やはりイギリス領であるサウスジョージア島に上陸してしまったので、アルゼンチン軍は十分な準備がなかったにもかかわらず、イギリス側が守りを固める前にフォークランドに踏み入らざるをえなくなった）。

いま振り返ると、イギリスの多くの民間人は当時の愛国的ムードを気恥ずかしく思う。けれども、あのとき圧倒的多数のイギリス人が感動し、興奮し、誇りを感じたのは動かしがたい事実だ。

そんな空気が生まれたのは、まさにこの国が下り坂にあるとイギリス人が感じていたからだろう。ぼくらの国は「帝国」だった時代以降、長い衰退期に入っていた。第二次世界大戦後には、国際的な影響力を大きく失っていった。八〇年代初めには経済が目を覆うばかりになり、階級間の関係も悪くなっていた。

そうしたら今度は、南米の独裁政権に好き放題やられているというではないか。イギリスは「帝国」の最後の断片を守るために戦ったというより、むしろ誇りの最後の断片のために戦ったのだ。

戦おうと決意し、さらにその戦いに勝ったことで、イギリスの自信はよみがえった。いつの世にも、危機に瀕した体制は「短期に勝てる戦争」で巻き返しを図ろうとした。しかし、それが首尾よく運んだためしはほとんどない。フォークランド紛争は、うまくいった実にまれなケースだ。それは、サッチャー政権から戦争を仕掛けたわけではないという要因が大きい。

フォークランド諸島は、イギリスとアルゼンチンの二国間関係にとって今も大きな問題でありつづけている。アルゼンチン側は「マルビナス諸島」が領土の一部であることを憲法に書き加えた。イギリス側はフォークランド諸島の問題をアルゼンチンとは交渉しないことにしている。島民に自決権があるというのがその根拠だ。島民たちは反アルゼンチンの立場を堅く守っている。彼らの反アルゼンチン感情は、占領の記憶とアルゼンチンが今も続けている禁輸措置によってより強いものになっている。

この紛争はさまざまな影響をもたらしたが、そもそもの原因になった問題はこんがらがったまま残された。

Chapter 3

ときどき偉大な着想が…

マグナ・カルタ

イギリスに成文憲法がないというのは皮肉な話だ。イギリスは世界に先駆けて、契約文書の形で国家の権限に制限を加えた国だからだ（しかも八〇〇年近くも前のことである）。この文書は今まで存在したなかで最も重要なもののひとつであり、立憲民主主義の基礎になったと考えられている。

マグナ・カルタはほとんど神話的な地位を獲得している。実際、いくつかの神話を生んでもいる。

「民主主義」の起源だといわれることもある。しかしジョン王にこの憲章を受け入れさせたのは封建貴族だったし、彼らには将来に影響を及ぼすことなど思いもよらなかっただろう。あまりに古いので「先史時代」の文書のように思われることもあるが、現在でもロンドンの大英図書館に行けば本物を見ることができる（現存する「オリジナル」は四部ある。大英図書館に二部あり、リンカンとソールズベリーの大聖堂に一部ずつある）。

貴族たちがめざしたのは、あまりにひどい政治をしているとみられていた王に対して自分たちの権利を守ることだった（ジョン王のあだ名は「悪王ジョン」だ）。たしかにジョンの政治はひどくて、臣民のことなど考えず、ただ重税を課しただけだった。

貴族たちは宗教儀式を行うふりをしてバリー・セント・エドモンズ修道院に集まり（修道院の遺跡の中の、この会合が行われたとされる場所に記念碑が立っている）、要求をまとめ、その後の行動方針に合意した。貴族たちは一二一五年に立ち上がり、ロンドンの支配権を奪い、テムズ川沿いのラニーミードでの交渉にジョン王を引っ張り出して憲章を承認させた。この直後に合意の写しが作られ、国中に配られた。一二一五年に書かれた「オリジナル」が複数あるのはそのためだ（のちに確認や修正が行われたとき、さらに「オリジナル」が作られた）。

ジョン王は憲章の定めを破ろうとしたが、承認から一年もたたないうちに死去し、マグナ・カル

ソールズベリーの大聖堂に残る立憲民主主義の起源、マグナ・カルタ。© Getty Images

タのほうが長生きすることになった。以後、ジョン王の後継者たちは、王にせよ首相にせよ、心からの思いだろうと仕方なくだろうと、この憲章を受け入れた。

不満を抱えていた貴族たちが問題の多い君主を抑え込むために作った文書にしては、この憲章は驚くほど寛容で先見の明がある。マグナ・カルタは度量衡を統一し、外国の商人がイングランドで仕事をするのを許可したために、自由貿易を推進することになった。夫を亡くした女性に再婚の権利を認めたことで、男女平等についても小さいながら意義ある一歩をしるした。しかし、その中核にあるのは、裁判は略式で行われてはならず、公正な裁判の機会は万人に開かれているという考えだった。

イギリスの放送人で作家のメルビン・ブラッグは、この憲章には「時代を超えた発展と応用の可能性」があると書いた。「前にもあとにも、これほどの文書はなかった。ひとつひとつの項、ひとつひとつの章から、おびただしい数の法律が生まれている」

これだけ時代を経てもマグナ・カルタの精神が生きているのは興味深い。マグナ・カルタの第三九条にはこうある。「いかなる自由人も、その同輩の合法的裁判を経ることなく、逮捕、監禁され、権利または所有権を奪われることはない」。アメリカ合衆国憲法の修正第五条にはこうある。「何びとも法の適正な手続きによらずに、生命、自由または財産を奪われることはない」。国連総会が採択した世界人権宣言の第九条にはこうある。「何びとも、ほしいままに逮捕、拘禁、または追放されることはない」。言葉づかいにまでマグナ・カルタが生きている。

マグナ・カルタを起草した貴族たちの名前を知る人はほとんどいない（念のため、中心となった人物はロバート・フィッツウォルターという）。憲章が生まれたとされるバリー・セント・エドモンズ修道院やラニーミードを訪れる人もほとんどいない。憲章のオリジナルを目にする人もとても少ない。それなのにマグナ・カルタは、ぼくたちすべてに大きな影響を与えつづけている。

フィッツウォルターと脇ばら肉のベーコン

ジョン王に対する貴族の反乱を率いたロバート・フィッツウォルターは、イギリス人に自由をもたらした人物としては、いくつもの点で異色の存在だ。フィッツウォルターがもっぱら関心を寄せていたのはほかの貴族と同じく、気まぐれな王の下でみずからの地位を守り、安泰に暮らすことだった。

それ以前にも彼は一二一二年に、王に対する不忠によって処分を受けていた。土地の一部を没収され、所有する城のうち二つが壊された。フィッツウォルターは短期間の恩赦を受けて再び王に造反するのだが、彼の側に王権を抑えるとともに、法の適正な手続きを整えたいという動機があったとしてもそれほど不思議ではなかった。

しかし、フィッツウォルターの行動には個人的な動機があったという説もある。彼はジョン王が長女のマティルダを誘惑しようとしていると考えていた。そのときは、ただ反乱の口実に広められた話だったのかもしれない。だが後世になって、この話は美しい伝説になった。マティルダにふられた王は彼女を毒殺し、そこでフィッツウォルターは謀反《むほん》を起こした……。

フィッツウォルターは家族思いで、結婚は神聖なものであるべきだと信じていたのかもしれない。フィッツウォルター（あるいは彼の先祖か子孫）は彼の生まれ故郷であり埋葬もされたエセックス州のダンモウという小さな町で、かなりおかしな風習を始めた。

この「脇ばら肉ベーコン」の風習は、少なくとも一三世紀にまでさかのぼる。チョーサーの『カンタベリー物語』にも登場するのだが、その手順は現代のテレビ番組のフォーマ

フィッツウォルター家が始めた奇妙な風習がある。© Getty Images

ットのようだ。結婚して一年と一日が過ぎた夫婦が裁判官と陪審員の前に立ち、自分たちの結婚をまったく後悔していないことを証明する。夫婦が円満であることを証明するのを手伝う弁護員と、嘘を見破ろうとする検察員がいる。もちろん観客もいて、円満であることを証明できた夫婦は脇ばら肉のベーコンの塊（古い英語で「flitch」という）をもらえる。

地方の目立たない風習だけれど、お祭りムードもあるし、正真正銘の古い歴史がある。記録に残っている最古のベーコン獲得者はノリッジのリチャード・ライトとその妻で、一四四五年のことだ。

この風習は何度か消えかけたが、そのた

びに復活を遂げた。いま「脇ばら肉ベーコン裁判」は、四年ごとのうるう年に行われている。二〇一二年には、また夫婦の愛と忠誠が試される。

イングランド人と長弓

イギリス人がわざとまじめくさった顔をして、「イギリスの法律では、自由な身に生まれた男性は日曜日に必ず弓矢の練習に行かないといけないんだ」と言うことがたまにある。

この小話が使われるのはたいてい、イギリスには法令集には載っているが実際には適用されていない古い法律がたくさんあって、本当に適用されたら大混乱を引き起こす法律が少なくともひとつあるという「事実」を伝えたいときだ。

法律によって、ぼくを含む約二〇〇〇万人のイギリスの成人男性が週に一度、午後に弓矢で遊ばなくてはならないというアイデアは面白い（そもそも、ぼくは人生のちょっとしたおかしなことが好きなほうだ）。だから、「弓矢の練習」法の存在は広く信じられているけれど、実は神話でしかないと明かすのは残念だ。

実を言えば、事実はここまでとっぴではないが、もっと面白い。そういう法律はかつてたしかにイギリスに存在し、何世紀にもわたってイギリスがフランスより軍事面で優位に立つことに貢献し、いくつかのすばらしい勝利にも結びついた。しかし一九世紀になって世の趨勢に合わなくなり、廃止された。

日曜日に弓矢を練習するという法律は、一三世紀にエドワード一世が定めた。法律の実効性を高めるには他のスポーツに気が散ってはいけないという理由から、テニスとクリケットが禁止された。

フットボールも禁止された。この施策にはとくに力が入っていて、そうしないと男性が弓矢の練習をしなくなるだけでなく、フットボールは野蛮で暴力につながると思われていた。いまフットボールが数百万人のイギリス人男性にとって週末の大きなイベントになっていることを考えると、弓矢の練習が法律で強制されていることだけを人々が「記憶」して、一方でフットボールが禁止されていたことを知らないのは皮肉な話だとも思う。

この法律が効果を発揮しはじめたのは、エドワード一世の孫であるエドワード三世の治世に長弓が発明されてからだ。長弓はそれまでの弓より丈があって、イチイの木でできている。遠くから矢を撃っても軽めの甲冑《かっちゅう》を貫通できたし、近くから撃っても精度が高いが、

当時、イングランドの長弓は最新鋭の武器だった。
© Getty Images

習得するのがむずかしい。

もともと長弓はウェールズのものだったが、イングランド人が急速に取り入れて、大きな成果を上げた。長弓によってエドワード三世は一三三二年にスコットランド軍を打ち破り、エドワード二世時代の劣勢を逆転させた。その後、エドワード三世はフランスに戦争を仕掛ける。百年戦争の始まりである。

一三四六年のクレシーの戦いでは、数で大きく劣るイングランド軍が決定的な勝利を収めた。イングランド軍の長弓部隊がフランス軍の騎兵部隊に矢の雨を降らせたのだ。この戦いで騎士道の時代は終わったといわれている。おもに農民で構成されていたイングランドの長弓部隊がフランス貴族の自慢の部隊をたたきのめし、戦争のあり方を大きく変えたためだ。イングランドと違って、フランスの平民は武器を持つことを禁じられていた。

イングランドの長弓の威力は、一四一五年のアジャンクールの戦いで再び発揮された。この戦いでも、イングランドは数で大きく劣りながら勝利した。イングランド軍がどれほど数で劣勢だったかは、はっきりわからない。フランスの五分の一だった可能性もあるが、最近の多くの研究はそこまでの差はなかったとしている。ただし、死者数はイングランド軍が数百人で、フランス軍が七〇〇〇人を超えていたことは間違いない。

たいていのイギリス人は、クレシーの戦いよりアジャンクールの戦いのことをよく知っている。シェイクスピアの『ヘンリー五世』の中で語り継がれてきたからだ。ヘンリー五世が戦いの前に行った「兄弟団」の演説は、英語による語りのなかで最も有名なもののひとつだ。兵士たちを鼓舞し、自分とともに戦う者は兄弟であるという王の言葉は、このころの戦争が貴族階級の騎士だけでなく、平民の長弓部隊の力に大きく頼っていたことを考えると、まさに的を射ている。

シェイクスピア劇のなかの演説は作り話だが、実際にもヘンリー五世はアジャンクールの戦いの前に兵士たちを奮起させる必要があった。彼は数々のすばらしい言葉を発し、そこに長弓部隊に向けた特別なメッセージを込めたといわれる。フランス軍はイングランドの長弓部隊の兵士を捕らえたら、二度と弓を撃てないように全員の右手の指を三本切ろうとしているというのだ。

一六世紀のヘンリー八世の治世になっても「弓矢の練習」法が再び施行され、他のスポーツも禁止されたが、そのころ弓矢は大砲や銃の登場によってすたれはじめていた。この法律が再び持ち出された裏には、大きな効果を発揮した昔ながらの戦い方への郷愁もあったのかもしれない。実際、イングランド人は今も長弓を愛しているといっていい。「ジ・アーチャー（弓の射手）」や「ロングボウ（長弓）」という名前のパブはけっこうあるし、「ストロングボウ（強い弓）」という人気のサイダーもある。

もしかするとイングランド人は、この武器にノスタルジーのようなものを感じつづけているのかもしれない。なにしろ今でも、日曜日に弓を練習するという法律があると信じているのだから。

上流階級とスポーツ

マラソンの距離が、この競技のいわれとされるフェイディピデスよりもイギリス王室に深く関係しているというのは、まったく奇妙な話だ。

マラソンの起源についてよく耳にする話は次のようなものだ。紀元前四九〇年、ギリシャ人の使者フェイディピデスは、マラトンの戦いでギリシャの軍隊がペルシャを破ったことを伝えるためにアテネまで走るという任務を負った。フェイディピデスは勝利の報を届けると、極度の疲労からそのまま息絶えた。彼が走った距離がおよそ四〇キロだったことから、近代のマラソン競技は使者フェイディピデスと、ペルシャの専制政治からギリシャ文明を守った戦いを記念してつくられた……。

問題は、この物語がほぼ確実に真実ではないということ、そしてフェイディピデスの偉業を奇妙なくらい小さく見せているということだ。古代史の研究で重要なのは、史料の信頼性である。いくらか信頼できるものもあるが、なかにはおとぎ話に毛の生えた程度のものなのに、古い出来事についての乏しい知識を補うために今も使われているものがある。

ペルシャ戦争について主要な史料となるのは、やはりヘロドトスだが、彼はフェイディピデスについてかなり異なる物語を語っている。マラトンの戦いから五〇年もたたないうちにこの史実をしるしたヘロドトスによれば、フェイディピデスはペルシャとの戦いの前に援軍を求めるため、アテネからスパルタへ走った。彼は「出発した翌日」にスパルタに着いた（およそ二四〇キロ先だ）。しかしスパルタは宗教的理由による休戦期間だったため、援軍を送ることはできないと言われた。

フェイディピデスがマラトンからアテネまで走ったと伝えた史料のうち、現存する最も古いものはプルタルコスで、それでも五〇〇年以上あとに書かれている。マラトンの神話を飾り立てて書いた古い史料のなかから、プルタルコスがあまり分別を持たずにこの物語を拾った可能性はありそうだ。

けれどもこの物語は、近代オリンピックでのマラソン競技の発明につながった。ただし最初のうちは、正確な距離が決まっていなかった。初期の近代オリンピックでのマラソン競技の距離は、四〇キロから四二・七五キロのあいだでばらつきがある。

一九〇八年のロンドン・オリンピックでは、スタート地点がウィンザー城内に設けられた。プリンセス・オブ・ウェールズとその子どもたち（のちのジョージ六世もいた）が見

マラソンは王室の都合で、スタート地点がウィンザー城内に設けられた（1908年ロンドン・オリンピック）。© Popperfoto / Getty Images

られるようにという配慮だった。ゴール地点はホワイトシティー・スタジアムのロイヤルボックスの正面とされ、そこにはアレクサンドラ王妃が臨席することになっていた。正確な距離は四二・一九五キロで、これがのちにマラソンコースの正式な距離となった。

イギリスの上流階級が一九世紀後半から二〇世紀初めにかけて、近代スポーツのルールづくりとその普及に大きな役割を果たしていなかったら、こうした逸話も歴史の小さな断片で終わっていただろう。

フットボールのルールの成文化を始めたのもイギリス人だった。そもそもの理由は、名門校同士が統一ルールで試合をできるようにというものだった。

だからイングランドのサッカー協会は、単に「フットボール協会（FA）」と名乗っている（他国のサッカー協会と区別する必要がなかった）。また同じ理由から、オックスフォード大学と、イートン校の卒業生でつくるオールド・イートニアンズは、サッカーが労働者階級のものになる前の時代に、世界最古のサッカークラブの大会であるFAカップでともに優勝している（オールド・イートニアンズがFAカップ決勝に進出した回数は、ウェストハム・ユナイテッドを上回る）。

ラグビーのルールもイギリスのパブリックスクールでつくられ、のちにサッカーとたもとを分かった。その昔は、国中の学校や村で手と足とボールを使うさまざまなチームスポーツが行われており、そのあいだに明確な区別はなかった。ボールを手で扱うことが許されるフットボールは、この競技のルールをつくったラグビー校の生徒たちにちなんで、今も「ラグビー・フットボール」と呼ばれる。

ボクシングのルールは第九世クイーンズベリー侯爵の名をとって「クイーンズベリー・ルール」と呼ばれるが、クイーンズベリーは保証人の役割を果たしただけだった（ルールを書いたのはウェールズ人のスポーツ選手ジョン・グレアム・チェンバーズで、彼はイートン校とケンブリッジ大学を卒業していた）。

どんなに想像力をたくましくしても、マラソン競技がイギリス人の発明だとは思いもしないだろう。けれどもイギリス人がスポーツのルールづくりにかかわるのは、珍しいことではなかった。

スコットランド人の発明

イギリスの歴史はイングランドの歴史ではない。けれども、ぼくはイングランド人だから、この本はどうしてもイングランドの話が多くなっているだろう。

その償いになるかどうかはわからないが、イギリスの発展にスコットランド人が果たした役割はきちんと書いておくべきだと思う。スコットランド人はとくに、商業、金融業、エンジニアリングの分野で大きな力を発揮した。一九〇〇年以降、スコットランド人の首相は四人生まれている。トニー・ブレアはそのひとりだが、彼がエディンバラで生まれ育ったことはつい忘れがちだ。ほかに先祖がスコットランド人である首相が三人いた。

ロビー・バーンズが最も偉大なスコットランドの詩人であり、ウォルター・スコットが偉大なスコットランドの作家であることは、誰もが知っている。しかし、ほかにもイングランド人だと思い込まれているスコットランド人の作家は何人もいる（たとえばアーサー・コナン・ドイルだ）。

同じことが、ジェームズ・ボズウェルやトーマス・カーライルのような知識人にもいえる。その時代ごとの最も重要な知識人はスコットランド人だったともいえる。たとえば、アダム・スミスだ。彼の『国富論』（一七七六年）は経済への理解を大きく変え、それ以降、数えきれない人々の生活に計りしれない影響をもたらしている。

ちょっとありふれた手なのだが、スコットランド人がどれだけイギリスと世界に貢献しているかをイングランド人に冗談めかして思い出させる話の仕方があり、さまざまな場所に登場する（布巾だとか）。たとえばこんな感じだ。

あるイングランド人が朝食にトーストと**マーマレード**（スコットランド・ダンディーのケイラー夫人が発明）を食べている。彼は**レインコート**（防水布はスコットランド・グラスゴーのチャールズ・マッキントッシュが発明）を手に取り、**自転車**（スコットランド・ダムフライズのカークパトリック・マクミラン鍛冶屋が発明）に乗って駅に向かう。**タイヤ**（スコットランド・ドレグホーンのジョン・ボイド・ダンロップが発明）が**タールマッ**

ク舗装（スコットランド・エアのジョン・マカダムが発明）の道路を駆け抜ける。

彼は**蒸気エンジン**（スコットランド・グリーノックのジェームズ・ワットが発明）を使った列車に乗って、イギリスの中央銀行である**イングランド銀行**（スコットランド・ダムフライズのウィリアム・パターソンが設立）へ仕事に行く。オフィスに届いた郵便を開けるとき、彼は**糊つき切手**（スコットランド・ダンディーのジェームズ・チャーマーズが発明）をちらりと見て、**たばこ**（スコットランド・パースのロバート・グローグが初めて製品化）を一服する。

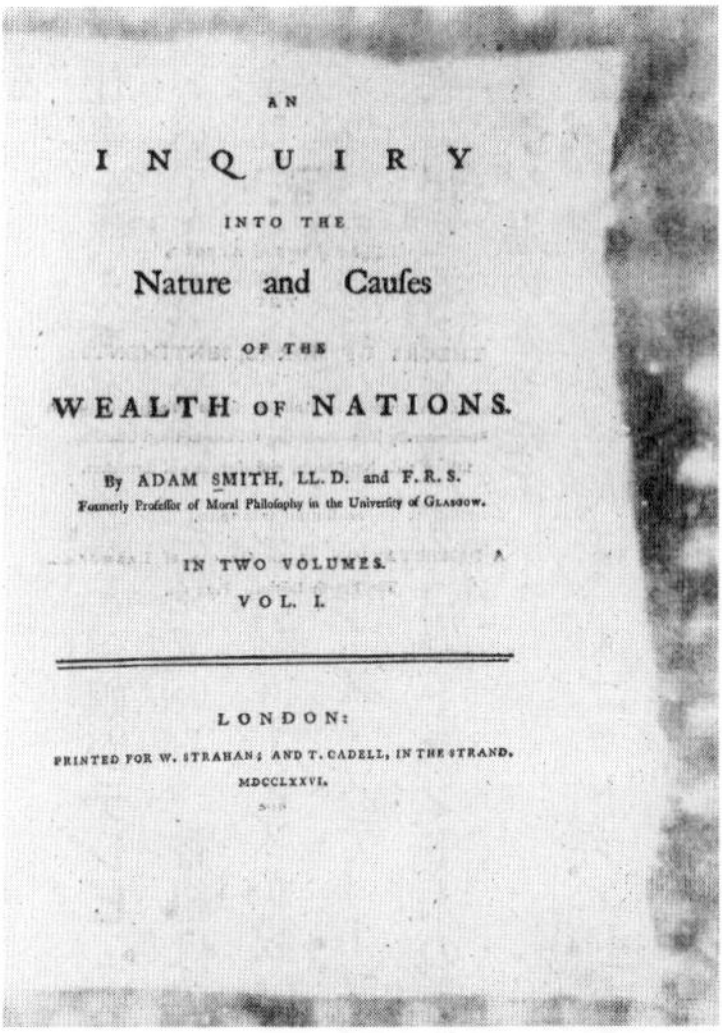
AN INQUIRY INTO THE Nature and Causes OF THE WEALTH OF NATIONS.
By ADAM SMITH, LL.D. and F.R.S.
Formerly Professor of Moral Philosophy in the University of Glasgow.
IN TWO VOLUMES.
VOL. I.
LONDON:
PRINTED FOR W. STRAHAN; AND T. CADELL, IN THE STRAND.
MDCCLXXVI.

スコットランド人が生んだ本は世界を変えた。アダム・スミス著『国富論』。© Getty Images

仕事が終わりに近づくと、彼は夫人に**電話**（スコットランド・エディンバラのアレクサンダー・グラハム・ベルが発明）をかける。夫人は彼に、今日の夕食は彼の好きな**ローストビーフ**（スコットランド・アバディーンシャーで育ったアバディーン・アンガス種の肉を使う）だと伝える。

仕事を終えて家に帰ると、娘が**テレビ**（スコットランド・ヘレンズバラのジョン・ロギー・ベアードが発明）を見ている。番組は**アメリカ海軍**（スコットランド・カークビーン生まれのジョン・ポール・ジョーンズが設立）の話。息子は**『宝島』**（スコットランド・エディンバラのロバート・ルイス・スティーブンソンが執筆）を読んでいる。**聖書**を開くと、最初に出てくる名前はスコットランド人のものだ（スコットランド王ジェームズ六世がこの英訳を進めさせた）。

このイングランド人は、スコットランド人が生み出したものから抜け出せない。気分を変えようと思って**ウイスキー**を手にするが、ここでも最高のものはスコットランド人が作っている。

あらゆることから逃げ出したくなったら、彼はガスオーブンに頭を突っ込んでもいい（**石炭ガス**はスコットランド・エアのウィリアム・マードックが発見）。あるいは**後装式ライフル**（スコットランド・ピットフォーズのパット・ファーガソン大尉が発明）で頭をぶち抜くこともできる。うまくいかなかったら、**ペニシリン**（スコットランド・ダーベルのアレクサンダー・フレミングが発見）を注射してもいいし、**麻酔薬**（スコットランド・バスゲートのジェームズ・ヤング・シンプソン卿が発明）を投与してもらってもいい。
彼の最後の望みは、スコットランド人の血を輸血してもらうことだろうか……。

Chapter 4

もうひとつのエデン?

イギリスにやって来たキリスト

歴史の大半を通じて、イギリスは世界の端っこにある島だった。歴史上最も影響力を持った人物であるキリストの人生との関係については、とくにそうだといえるだろう。キリスト教の発祥につながった出来事は、ブリテン島からはるかに遠い聖地で起きていた。その距離を埋めようとするかのように、イギリス人は魅惑的な神話をつくり上げた。実はキリストはこの国に来ていたという神話である。

日本にも晩年のキリストが青森県にやって来て、そこで最期を迎えて埋葬されたという伝説があるように、イギリスでも若き日のキリストが、おじとされるアリマタヤのヨセフとともにこの地を訪れたといわれている。そのためこの島は神の祝福を受け、特別な国になることを義務づけられたという。

この物語は、とても人気のある「エルサレム」という聖歌にしるされている。なんとも心を高ぶらせる曲なので、「ゴッド・セイブ・ザ・クイーン」に代えてイギリスの国歌にすべきだという声もある。少なくともサッカーやラグビーのイングランド代表がスコットランドやウェールズ(どちらも第二の「国歌」を持っている)と対戦するときには、イングランドの「国歌」にできそうだ。つけ加えるなら、この曲はウィリアム王子とケイト・ミドルトンのロイヤル・ウェディングで歌われた聖歌のひとつである。

「エルサレム」は驚くほどすばらしい曲に、驚くほどシンプルで気持ちを高揚させる詩がつけられている。一八〇四年にウィリアム・ブレイクが書いたものだ。

冒頭の歌詞を聴くと、なんだか期待が持てそうにない。なにしろ「あの足が古代に……」と、足の話で始まるのだから。

ところが、二つの短い節のあいだに曲は一気に盛り上がり、ぼくたちに地上の楽園を築けと訴える。これを聴くと、ぼくは背筋がぞくぞくしてくる。そしてイングランド人に生まれたことへの感謝の気持ちと、ぼくたちの国がそんな高邁《こうまい》な理想にまったく近づいていないという恥ずかしさの両方をいだいてしまう。

信憑性はかなり低いとしても、ヨセフがキリストの死後にブリテン島を訪れたと考えられなくはない。しかし、若かったときの甥とともにやって来たことを示す歴史上の合理的な根拠はない。

ブレイクの詩はこの神話が事実だとは言っていない。そのため疑問形を使っている。最初の節でブレイクは、キリストがブリテン島に来たかどうかという問いを形を変えて四度にわたって投げかけている。二つめの節では、もしキリストがこの地に足跡を残し、天をここにもたらしたなら、私たちはその「エルサレム」を再興しなくてはならないと歌う。

この曲は右派の愛国主義者に支持され（イギリスは聖なる国だと思えるから）、左派にも支持されている（ブレイクの詩が「闇のサタンの工場」から社会主義の理想郷を築くべきだとうながしていると思えるから）。イギリスのキリスト教徒にも支持されている。「私たち」（つまりすべての人々）はキリスト教徒あるいはキリストのようになろうとつとめるべきである、そうすれば地上の天国に可能な限り近づけると信じる人たちだ。

若きキリストがイギリスにやって来たという神話は、キリストの人生をこの地に結びつけようとしたつまらない試みかもしれない。あるいは、キリストの徳と教えをイギリスにもたらそうという呼びかけとみることもできるだろう。

いずれにしても、この神話はイギリス人の愛する感動的な詩と曲が生まれるきっかけになった。

聖ジョージの伝説

イングランドの守護聖人は聖ジョージだが、彼はイングランド人ではなく、最もよく知られる彼の活躍は事実ではない。歴史的にみて聖ジョージは存在したことになっているが、本当はいなかったという見方もある。

だからイングランド人は、聖ジョージの日（四月二三日）をどう祝っていいのかわからないのかもしれない。聖ジョージの日は祝日ではないし（ブルガリアでは祝日なのに）、どんな形であろうと祝っている人はほんのひと握りだ。

聖ジョージの人生にはわからないことが多い。伝えられるところによれば、彼はパレスチナの高貴な家に生まれ、ローマの軍人となってディオクレティアヌス帝に仕えた。三〇二年、ディオクレティアヌスはすべての兵士にキリスト教の信仰を捨てよと命じた。ジョージはキリスト教徒として育てられていた。彼はローマの神々を敬うことを公の場で拒否し、皇帝じきじきの命令も拒否し、そのため三〇三年に処刑された。

これらの事実を多くのイギリス人が知っているわけではない。おそらく知っているのは、

右：パブの看板。イングランド人ではない人物（聖ジョージ）が、存在しない動物（龍）を槍で突き刺している。
上：聖ジョージは龍を退治し、王女を救った英雄。しかしイングランドでは、聖ジョージの日は祝日になっていない。

一〇〇人にひとりという程度だろう。

聖ジョージについて圧倒的多数のイングランド人が知っている最大の「事実」は、彼が龍を退治したというものだ。当然ながら、この話は歴史上の物語としては重大な問題がある。龍などという動物は今も存在しないし、これまでもいなかった。

伝説によればその昔、一頭の龍が泉の近くにすみかをつくった。村人たちはその泉から水をくまなくてはならなかった。そこで村人は毎日、龍に羊を一頭捧げて、水をくませてもらうことになった。しかし龍に捧げる羊が尽きてしまい、とうとう少女を捧げることになった。

ある日、王女が龍に捧げられることになった。そこへまさに完璧なタイミングで、聖ジョージが現れた。彼は話を聞くと、龍を退治して王女を救った。

聖ジョージはたいていこのような存在として、龍を槍で突き刺している姿（それを王女が見守っていることもある）が教会の宗教的な肖像だとか、銅像（同じく聖ジョージを敬う東ヨーロッパにもある）、あるいは大衆文化（イングランドのパブの看板など）に見られる。

聖ジョージのこの物語は、中世の十字軍の騎士たちが広めたとされる。当然ながら彼らには「勇ましい聖人」が魅力的に映った。そのころ流行していたロマンチックな伝説が聖ジョージについてつくられても不思議はなかったのだが。

もっとも、「龍」は寓意的な存在と考えるべきだろう。つまり悪魔の化身だ。ジョージが龍を「殺した」ことも、キリスト教の信仰に殉じたことの象徴とみなしたほうが正確なのだろう。

修道院の解散

ヘンリー八世が行った修道院の解散が、許されざる行為だったことは間違いない。神をも畏れぬ所業だったと思う人もいる。一五三六年からのわずか五年間に八〇〇を超える宗教団体（僧院、女子修道会、小修道会）が王令によって廃止され、施設は没収され、そこに住んでいた人々は引退を余儀なくされた。

巨大な財産は国庫に入り、宗教的な偶像や芸術は取り払われ、貴重な文献は散逸し（最後にはほとんどが失われた）、多くの場合には施設の屋根までが取り払われて拠出された。一部の建物は質素な教区教会に替わり、ごく一部は壮大で新しい聖堂になった。貴族に売却されて私邸となったものもある。だが大半の建物は、完全に崩壊してしまった。

修道院解散の前段階となったのが、一五三四年のイギリス国教会の成立だった。国教会は国王を最高の首長とし、教皇の権威を認めなかった。その後、国王は修道院の持つ莫大な富に狙いをつけた。

修道院側にとって不利だったのは、宗教団体に属する人々は一般庶民に比べてかなり快適な暮らしをしており、宗教的な戒律も厳格に守らず、なかには道徳的に放埒《ほうらつ》な生活（飲酒や姦淫など）をしている者もいるという見方が広まっていたことだった。

そうした度を越した例について国王側が騒ぎ立てた（話が誇張されていたことは間違いない）。それでも修道院の解散は人々の怒りを買い、イングランド北部では大規模な反乱（「恩寵の巡礼」と呼ばれる）が起こり、鎮圧はされたものの政府の基盤を脅かすほどに拡大した。

修道院の解散はイギリスにとって大きな傷となった。以前から裕福だった人々が、修道院の財産を没収してさらに裕福になっていった。欠点はあったにせよ、修道院はそれなりに慈善を行っていた（貧しい人々に施しをしたり、病人を世話したりした）。その修道院がなくなったことで生じた空白を、国はほとんど埋めようとはしなかった。修道院の解散によって生まれた収入のうち、新しい宗教的な基盤を整えるのに使われた額は微々たるものだった。

この出来事はもちろんイングランドにとっては大変な損失であり、壮麗で大規模な建物が数多く荒廃の一途をたどった。けれども四〇〇年以上が過ぎた今、ぼくは個人的にはこの悲劇にもかすかな価値を見いだしている。修道院の解散によってイギリス中に宗教施設の遺跡が数百も残ることになり、この国の風景のなかで異様ではあるけれど目を見張るものになっている。どんなに壮麗であっても「現役」である教会にはない神秘と魅力が、これらの遺跡にはあると思う。

遺跡となった修道院のなかで有名なもののひとつがグラストンベリー修道院で、観光客にも非常に人気がある。伝説によれば（伝説でしかないのだが）、この修道院を最初に建てたのはアリマタヤのヨセフだという（彼についてはこのあとの項にも書いている）。いまグラストンベリーに向けられている親しみの源には、この修道院の解散は悲劇的な損失だったという見方があると思う。ここにあるのが「ただの」キリスト教会だったとしたら、グラストンベリーの最も熱い信奉者たち（ニューエイジ風のヒッピーとか、そのあたりの人々だ）が、この土地が象徴すると信じるものを投影できるとは思えない。

コルチェスターにあるセント・ボトルフズ修道院跡。悲しい歴史にミステリアスな景観。

ぼくもそういう遺跡をたくさん訪れて楽しんでいる。大きなもののひとつがバリー・セント・エドモンズ修道院だ。建物の一部には今も壁が残っているが、基礎だけになってしまった部分もある。現在、この修道院は公園になっていて、ピクニックや散歩をしたり、遊んだりすることができる。夏の天気のいい日には何百人もの人出でにぎわっているが、すぐ近くにある大聖堂に入ってみようという人は少ないだろう。

エセックス州コルチェスターにあるぼくの家からは、イングランドで最も古いアウグスティノ修道会の小修道院であるセント・ボトルフズ修道院が見える。とりたてて大きな遺跡ではないが木々が茂っていて、壁に囲まれたスペースに座ってくつろいでいても空には太陽が見えるという、ちょっと珍しい場所である。

セント・ジョンズ修道院跡。門だけが残った。

　夕方になると、鳥が集まってさえずりはじめる。ここは教区教会となって生き残った数少ない修道院のひとつだったが、イングランド内戦のときに破壊されてしまった。

　そこから少し歩くと、セント・ジョンズ修道院の門がある。もっと古くて裕福だったベネディクト派の修道院で、最後の修道院長は解散に抵抗したためにコルチェスターで処刑された。この遺跡を見ると、修道院の解散は問題の多い残忍な施策だったが、イギリスの歴史的景観を形づくるうえでは一定の役割を果たしたと思える。

アーサー王とアヴァロン

イギリスで最も重要で最も人気のある伝説が、アーサー王の物語だ。五世紀か六世紀に実在したといわれる人物だが、いつか復活することになっており、キリストと同じく死んではいないとされている。

アーサーとその仲間たちについての物語は何百もある。中世に書かれたものもあるが、多くは近代のものだ。多くのイギリス人がいつのまにかアーサー王を歴史上の人物のようにみなしている。しかし彼が実在したことを示すわずかな「証拠」は信用できないものがほとんどで、まともに受け止めることはできない。

物語を構成する要素は実に面白い。少年アーサーが魔法の剣エクスカリバーを石から引き抜くと、彼が高貴な出自であることが明らかになる。彼は国を統一し、サクソン人の侵略者を相手にした多くの戦いを率いる。彼は円卓にともに座った騎士たちを集める。名の知られた騎士たちもいる。ガウェイン卿、ランスロット卿、ガラハッド卿……。彼を支えるのは美しい妻と、有能な助言者である魔法使いのマーリン。平和の楽園であるキャメロット城で彼は臣下を統括している。しかし彼の目的は、軍事的なものだけではない。彼が探しているのは聖杯——キリストが最後の晩餐で使った聖なる杯だ。

アーサーの失墜は悲劇的だ。彼はランスロットに裏切られる。ランスロットはアーサーの妻を寝取り、騎士たちの仲を引き裂き、彼の王国を弱体化させる。最後の戦いでは強力な敵モルドレッドにけがを負わされ、治療のためにアヴァロンの島に運ばれる。アヴァロンでの彼の「死」は永遠のものではない。彼はブリテン人の「かつての、そして未来の王」だからだ。

この物語の出所はその当時のものではない。ジェフリー・オブ・モンマスはアーサー王伝説を一二世紀に「ベストセラー」にしたとき、自分にしか知りえない出所をもとにしていると主張した。物語はのちの書き手たちによって広められ、脚色され、変えられた。あまりに人気が高まったために、他の人気のある伝説と混じり合うようになった。

アーサーが眠るアヴァロンはどんな地図にも載っていないが、グラストンベリーだという説がある。一一九一年、アーサー王と王妃グィネヴィアの遺体がこの地で「発見」された。掘り出されたのは、修道院長がまさに夢の中で見た場所だった（今でもアーサー王の墓はグラストンベリー修道院の中にあり、訪れることができる）。

上：イギリスの聖地として有名なグラストンベリー修道院跡。
左：「アーサー王と王妃の墓」といわれる場所。© Getty Images

アーサーとグラストンベリーが結びつけられたことで、二つの神話はどちらも強化された。アーサーは実在したのであり、グラストンベリーは古代の聖地であって、「イングランドのキリスト教発祥の地」だということになった。グラストンベリー修道院は、アリマタヤのヨセフが創建したともいわれる。ヨセフはキリストのおじ（母親である聖母マリアの兄弟またはおじ）といわれることもある人物だが、四福音書のすべてにイエスの遺体を引き取って埋葬した人物だと、しっかりしるされている。

イギリスの伝説では、ヨセフはキリストが最後の晩餐で用いた聖杯も所有しており、のちにキリストがはりつけにされたとき、その血を受けるために使ったとされる。ヨセフはその血をグラストンベリーに持っていき、キリストの生きた時代から一世代もたたないうちにキリスト崇拝の場を建立したという。

神話が生まれ、広められるのには理由があることが多い。イギリスのケルト人にとっては、サクソン人の侵略者と戦った地元生まれの英雄の存在を信じたい理由があった。ノルマン人がこの神話を支持したのは、サクソン人から奪った権力の正統化に役立ったためだ。そしてすべてのイギリス人は、アーサー王は最も必要なときに復活して、国を率いてくれるという神話にすがることができた。

グラストンベリーが数ある聖地のなかでも人気の場所になったのは、このウェセックスの地域の王がイングランド王になったためだ。一一九一年にアーサー王の眠る場所が見つかったことで、グラストンベリー修道院の地位は確たるものになった。同時にそれは、ノルマン人の王ヘンリー二世がアーサーを迎え入れたことを示唆する証拠であり、またアーサーは「眠り」に就いているだけでいつか王位に復帰するのではなく、本当に死んだことを示すものでもあった。

神話は古くて優れた物語だというだけで、力を持ちつづけることがある。しかしアーサー王とグラストンベリーの物語は、どちらも現代にあらためて訴えかけるものがあると、ぼくは思う。

アーサーは円卓を仕切った。ここで重要なのは、このテーブルには「上座」がなく、「上座」に近いほうが上という序列もなかったことだ。すなわち、円卓の騎士たちは理屈からいえば平等だった。古代の歴史のどこかに、臣下とともに座り、助言を求めるような君主がいたという点は、現代のイギリスに共鳴するものがある。

今のイギリスで、ぼくたちの指導者は「首相」と呼ばれる。大臣のなかのトップという意味であり、「内閣」の一員だ。彼は「同格の人物のなかのトップ」ではあるが、大統領ではない。一方的に命令を発することはなく、少なくとも合議のうえで統治しているという体裁はつくらなくてはならない（マーガレット・サッチャーやトニー・ブレアが反発を買った理由のひとつは、同僚の大臣たちを無視してものごとを進めているようにみえたことだ）。

グラストンベリーの神話は、イギリス的精神の象徴となる場所を求めるニューエイジ的な必要性を満たすものだ。ここではなぜだか祖先との結びつきを感じられると人々が思える場所、そしてエルサレムやローマ、メッカなどと肩を並べるような古代イギリスの聖地になりうる場所である。

アーサー王の物語、そして彼とグラストンベリーの関係は、ただの創作にすぎない可能性が高い。それでも、これらの神話がイギリス人の考えや希望について何を示しているかは、まさに歴史が語るべきテーマだろう。

Chapter 5

アイルランドという〝問題〟

大飢饉

アイルランドのジャガイモ大飢饉（一八四五〜四九年）は、この国に降りかかった災厄としては黒死病の流行以降で最悪のものだった。この出来事がいっそう信じがたいのは、イギリスがまさに国家としての全盛期を迎えようかというときに、アイルランドの人口が大飢饉によって大幅に減ったためである。

ジャガイモ飢饉の規模と、この出来事をきっかけにアイルランドをひどい目にあわせた「不適切」な（あるいは一部でいわれるように「悲惨」な）対応を、短い文章に収めるのは無理というものだ。だから、この文章を読んでくださるみなさんは、これが飢饉のことをすべて網羅したものとは思わずに、どちらかといえばその意味をなんとか書きとめ、史実にも少しだけ触れ、その先はみなさんがご自分で学んでくれることを期待する文章としてとらえていただければと思う。

アイルランドはみずからを、イギリスの「属国」のように考える傾向がある。「大英帝国」のなかに、不本意ながら入っているのだ……と。この見方には真実がたっぷり含まれているが、同時にイギリス人に責任逃れの口実を与えてしまう。飢饉が起きたとき、アイルランドはイギリスの一部であり、ケニアやビルマのような「植民地」ではなかった。理屈からいえば、アイルランドはただ「イギリスのすぐ隣」にあるのではなく、この国に欠かせない部分だった。デボン州やオークニー諸島と同じくらい「イギリス」だった。だからこそ、アイルランドで起きたことに関するイギリスの責任は大きく、手を打たなかった罪は許されるものではない。

この飢饉によって、アイルランドは全人口の約四分の一を失った。一〇〇万人が飢えや病気で死に、一〇〇万人が移住を余儀なくされた。信じがたいことだが、一六〇年が過ぎた今でも、アイルランドの人口は飢饉の前には遠く及ばない。凶作に歯止めがかかっても三年ほどは多数の死者が出ていたし、外国への移住者も大変な数にのぼった。そして、その影響はさらに何世代にもわたって続いた。

ぼくの一族は西アイルランドのメイヨー州の出身だ。アイルランドで最も貧しく、飢饉の被害が最もひどかった地域である。ぼくが生まれたとき（一九七〇年にイングランドで生まれた）、メイヨーの人口は飢饉前の実に三分の一に減っていた。信じがたいほど壊滅的な人口減である。

飢饉自体は天災だった。アイルランドの庶民の主食だったジャガイモが胴枯れ病にやられたことである。不作の年はその前にも何度かあったが、この飢饉では疫病が全国に広がり、それが数年続いて壊滅的な被害となった。

たしかに予想外の出来事ではあった（人口密度の高い農業国ではいつ起きても不思議はなかったのだが）。しかし、イギリスにも政策上の責任があった。アイルランドで多数を占めるカトリック系住民が、なんとか食いつなぐ以上の食料を手にすることはほとんどなかったからだ。大飢饉に襲われたら、彼らになすすべはなかった。

イギリス政府が飢饉の被害者に適切な支援と救援を行わなかったことに、今となっては呆然とさせられるし、そこに人種差別の影響があったことは間違いない。アイルランド人は野蛮人（がさつで愚かで怠惰）だから、災厄をこうむったのは自業自得であり、しかも被害を誇張していると思われていた。イギリス人を弁護できる点があるとすれば、当時のイギリスがいっさい混じりけのない自由放任主義のイデオロギーにとらわれており、ほんのわずかでも市場に介入すれば問題が起こると信じきっていたことだ（だからアイルランドは、飢饉の被害が最悪だったときにも穀物の輸出を許されていた。大地主の土地で作られ、金を出せる外国の買い手に売られた）。

イギリス側に向けられる最悪の批判は、アイルランドのプロテスタント系地主の一部に小作人を追い出す理由を与えたというものかもしれない（飢えて死にそうな彼らが地代を払えなかったためだ）。見方によっては殺人行為に近く、その規模を考えれば大虐殺ともいえる。

救援の努力は一部では行われ、りっぱな活動をしていた個人や団体もあった（たとえばクエーカー教徒はめざましい慈善事業を行い、イギリス本土に飢饉の規模を冷静に伝えた）。だが全体的にみれば、イギリス人はひどく無関心だった。もしヨークシャーで同じ規模の災害が起きていたら、あんなふうに手をこまねいているはずもなかった。

大飢饉は個人的にも、ぼくの頭を悩ませる。祖先がどのようにして飢饉を生き延びたのか、ぼくにはまったくわからない。ぼくの一族が数多く死んだことは間違いないと思う。あばら家で飢え死にしたり、土地を取り上げられたあげくに路上で野垂れ死んだかもしれない。食料を求め、助けが来ることを祈りながら。

外国に移住した人たちもいただろう。この飢饉があったために、一九世紀にはアイルランド人がアメリカやカナダに（もう少し規模は小さいがオーストラリアやイギリスにも）大流入し、それらの国ではアイルランド系が大きな民族集団となった。とくにニューヨークやボストンといった都市には、アイルランド系の街が生まれた。人々はよりよい暮らしを送るチャンスを手にして豊かになり、当然ながら反イギリス感情をいだくようになった。いまニューヨークで行われる聖パトリック・デーのパレードは、ダブリンで行われるものより規模が大きい。

イギリス人が飢饉を引き起こしたというのは間違いだし、彼らの対応を「大虐殺」と呼ぶのも言いすぎだ（小作人の追放でさえ計画されたものではなかったし、政府が行ったものでもなかった）。それでも明らかなのは、イギリス政府がアイルランド人の苦境に際してなんとも冷淡な態度をとったこと、そしてイギリスがアイルランドを支配する根拠が取り返しのつかないほど弱まったということだ。

聖パトリック

過去最も有名なアイルランド人は聖パトリックかもしれない。彼の記念日は世界中のアイルランド人やアイルランドにルーツを持つ人々、アイルランドを愛する人々が祝っている。しかし、聖パトリックは実はアイルランド人ではない。三月一七日を祝う一部の人々はがっかりするかもしれないが、聖パトリックはイギリス生まれだ。

遠い昔に名もない家に生まれた人物には珍しいことだが、聖パトリックが生まれたところに近い町の名前はわかっている。バナベム・タバニアイという。残念ながら、それが今のどのあたりかはわからない。ウェールズかスコットランドの可能性が高いが、イングランドである可能性も十分にある。パトリックの家族はローマ人で、それなりの身分にあった。だが、彼の人生は一六歳のときに大きな転期を迎える。四〇三年ごろ、パトリックはアイルランド人の海賊に誘拐され、アイルランドに奴隷として売られてしまう。

パトリックは六年にわたって羊飼いとして働き（おそらく場所は北アイルランドのアントリム州だ）、そのあいだに熱烈な信仰を持つようになった。驚いたことに、聖パトリックが書いた手紙が今も残っている。一人称で書かれた彼の著書『告白』は、ひとりの人間の「声」を時代を超えて聞かせてくれる。

「私は毎日、羊たちの世話をしなくてはならず、一日に何度も祈った。神の寵愛と畏怖とが私のなかでしだいに高まり、私の信仰は強まった」とパトリックは書いている。「そして私の心は動かされ、昼に一〇〇回の祈りを行い、夜にも同じほど祈った。森にいても山にいても祈った。私は日の出前に起き出して祈り、雪の中でも霜が降りても、雨が降っても、苦しみを感じることはなく、怠惰に陥ることもなかった。いま思えば、そのとき私の精神は焼けつくようであった」

パトリックは奴隷生活を逃れ、およそ三〇〇キロ歩いて船に乗り、ブリテン島に渡った。船が待っていることを、夢の中の声に知らされたためだった。

パトリックはアイルランドの地を二度と踏みたくないと望んでもおかしくなかった。しかし彼は、異教徒だったアイルランド人をキリスト教に改宗させる伝道師としてアイルランドに渡った（このときも彼は夢の中でお告げを受けた）。

パトリックは聖書を学び、四三二年にアイルランドに渡り、死を迎えるまでの三〇年間に数千人ものアイルランド人をキリスト教に改宗させた。彼はキリスト教伝道のためにアイルランドへ行った最初の人物でも、唯一の人物でもなかった。それでもパトリックは、少なくとも大規模な改宗の象徴となっている。

パトリックについては多くの物語がある。最も有名なのは、彼がアイルランドからすべての蛇を追い出したというものだ。実際、いまアイルランドに土着の蛇はいない。だが実は、パトリックがやって来る前にもアイルランドに蛇はいなかった。だからこの蛇には、

聖パトリックの聖なる山に巡礼する現代のアイルランド人。
© National Geographic / Getty Images

寓意的な意味合いがあると考えたほうがいいのだろう（アダムとイブの物語では悪魔が蛇の姿をとって現れる）。

三つ葉のクローバーに似たシャムロックがアイルランドの紋章となったのは、神には三つの位格があるが「神はひとり」であるという三位一体の意味をアイルランド人に説くために、聖パトリックが用いたからだ。

パトリックゆかりの場所もある。たとえばメイヨー州には、クロア・パトリックという山の頂上に教会があって、パトリックは受難節の四〇日間にここで断食を行ったといわれる。毎年、何万人もの人々が山を登り、この教会に巡礼にやって来る。

今でも「パトリック」はアイルランドで最も多い姓だ。実は、ぼくの「堅信名」でもある。ぼくがこの名前を選んだのは、父の名前でもあるし、ぼくの一家がアイルランド出身であることを示せるからだ。

アイルランドとそこに住む人々に、パトリックが偉大な衝撃をもたらしたことは間違いない。しかしもっと言うなら、アイルランド人をキリスト教に改宗させたことはヨーロッパの文化に大きな影響をもたらした。

アイルランド人はかくして文明を(少しだけ)救った

パンチの効いた優れたタイトルが、本の魅力を大きく高めることがある。だからトマス・カヒルと彼の出版社は『アイルランド人はかくして文明を救った』というタイトルをつけたとき、これは行けると思ったことだろう。

一九九五年に出版されたこの本は歴史書としては珍しくベストセラーリストに入り(それも数カ国で)、何年もランキングにとどまっていた。

このタイトルが関心を呼び起こす理由のひとつは、「アイルランド」と「文明」という二つの言葉がどこか合わないと思われていることだ。多くの人は、たとえアイルランド人が好きな人でも、彼らのことをいささか荒っぽい人たちだと思っている。

この本には批判もあって、誇張や憶測がいくらか混じっているという見方にはぼくも同意する。しかし、本の中心テーマは筋が通っている。ローマ帝国が崩壊したあとにアイルランド人の修道士たちが、今もぼくたちが触れている西洋文化の一部(キリスト教の伝統や古典文学)を保存するうえで重要な役割を果たしたというのだ。

カヒルの主張によれば、ローマ帝国の崩壊とともにヨーロッパは野蛮な異教徒に荒らされ、すばらしい書籍が見向きもされなくなった。幸いにも、その一世紀前にキリスト教に改宗し、同時に読み書きの能力も身につけていたアイルランド人は、修道院で学ぶことに熱心になっていた。

イギリスの歴史家ケネス・クラークは一九六九年の有名なテレビドキュメンタリー『文明』の中で、この見方を支持した。「信じがたいことだが、西洋のキリスト教文化はかなり長いあいだ、ほぼ一〇〇年にもわたり、アイルランド沖三〇キロ弱の海から突き出た標高二三〇メートルの岩の塊であるスケリッグ・マイケルのような場所に身を寄せることで生き残った」と、クラークは語った。

修道士たちは写本に励んだ。印刷技術がなかったこの時代に、重要な本を保存し、広める方法はこれしかなかった。しかも、この明晰なアイルランド人たちは自分たちの島にとどまっておらず、六〜七世紀にブリテン島や大陸ヨーロッパに足を伸ばしていた。彼らはヨーロッパの暗黒時代に一条の光をともしていた。

古典文化を保存する方法はほかにもあったのだろう（たとえば、アイルランド人の修道士たちがいなくても、聖書が消えてなくなるような深刻な危機はなかった）。だがアイルランド人の修道士たちは伝道に熱心で成果も上げており、文化の活性化に貢献したことは間違いなかった。アイルランド人が数世代前まで読み書きができなかったことを考えると、この業績は本当に驚くべきものだ。

アイルランド人がブリテン島に建てた修道院のなかには、神話の世界の存在のようになっているものがある。スコットランドの西岸沖にあるアイオナ島の修道院は五六三年に聖コルンバが建てたもので、学びの場として、あるいはキリスト教布教の拠点として何世紀にもわたって旺盛な活動を続けた。同じくアイルランド人の聖エイダンはアイオナに滞在したのち、六三五年にイングランド北東部沖のリンディスファーン島に修道院を創建した。

リンディスファーンでは歴史のなかでも有数の美しい本が作られた。「リンディスファーンの福音書」である。もっと有名ですばらしい本である「ケルズの書」は、おそらくアイオナ修道院で作られはじめ、バイキングから守るためにアイルランドのケルズ修道院に制作の場を移し、そこでアイオナの修道士たちが完成させた。

リンディスファーンで始まった布教活動はイングランド北東部のノーサンバーランドの住民たちの改宗につながり、六七四年にはこの地方のジャロウに修道院が建てられた。ジャロウの修道院のすばらしい蔵書が、歴史家となったイングランドの聖職者で「イギリス史の父」とも呼ばれる尊者ベーダの著作につながった。修道院は宗教上の拠点だっただけでなく、修道士たちは写本を行い、文学や哲学、ギリシャやローマの歴史書を研究した。まだ大学が生まれる前の時代に、修道院は最高の学びの場だった。

べつのアイルランド人修道士であるコロンバヌスは、宗教的コミュニティーを建設し、フランスやイタリアでも布教活動を行った。コロンバヌスの信奉者たちはこれらの国や現在のスイスやドイツで、新たに数十カ所の修道院を創建した。

「アイルランド人が文明を救った」という主張は、歴史の真実というより上手なマーケティングと言うべきだろう。しかし文明の存続が脅かされていた時代に、アイルランド人は学識を守り、広めるために、価値のある意外な貢献を果たしていた。

アイルランド独立戦争

アイルランドの独立を求める戦いは一九一九〜二一年に最終局面を迎え、悲惨な戦争になった。しかしこの戦いで、アイルランド独立派はイギリスに力でまさったのではなく、頭脳で上回った。

アイルランドの民族主義者はイギリスからの独立をめざし、すでに何世紀も戦っていた。セオボルド・ウルフ・トーンの有名な言葉によれば、イギリスは「われわれのかかえる政治的悪徳の尽きぬことなき源泉」だった。アイルランド民族主義者の蜂起は、一七九八年、一八四八年、一八六七年、そして最後には一九一六年に起こった。いずれも不名誉な失敗に終わったが、一九一六年の蜂起だけはイギリスのアイルランド支配を終わらせる新たな動きへと奇跡的につながった。

イギリスは大変な悪政を敷いていた。それがはっきり見てとれたのは、一九一六年の蜂起につながった出来事だ。イギリス側が反政府指導者を処刑したことで彼らは英雄となり、アイルランド中から大変な同情が寄せられた。

まもなくイギリスは第一次世界大戦で、若いアイルランド人男性をイギリスのために戦わせようとした（このアイルランド人徴兵計画はのちに撤回された）。反イギリスの蜂起が起きると、イギリス側は荒っぽい兵士たちを送り込んで混乱を抑えようとした。兵士たちはアイルランド人に暴力を振るってもかまわないとされていたが、これは文明社会で許されることではなかった。こうした行動によってイギリス側は、アイルランド民族主義の

「腕にものをいわせる」伝統に火をつけた。

歴代のイギリス政府は「アイルランド問題」を収拾しようとしてきた。だが大多数のアイルランド人にとって、問題はむしろイギリスの支配であり、解決策は自治を勝ち取ることだった。

イギリスはアイルランドを統治できないことをみずからさらけ出したが、実際にイギリスを追い出すには賢い戦い方が必要だった。アイルランドの民族主義者たちは二面作戦をとった。

まず自治の体裁をつくり上げようとした。一九一八年の総選挙では、独立を唱えるシン・フェイン党がアイルランドで過半数を獲得した。選ばれた議員たちはロンドンの議会に行くことを拒み、アイルランドに自分たちの政府を「結成」し、自分たちの裁判所をつくろうとした。自分たちの新しい「国家」に対する外交的・国際的な承認を求めて、アメリカに代表団も送った。

それよりもはるかに重要なのは、アイルランド共和軍（ＩＲＡ）がイギリス軍をたたきのめしたことだ。農民や事務員、元兵士など数千人の若者たちが大軍を編成して、イギリスの軍隊と警察を攻撃し、徴税を妨害し、司法制度を機能不全に陥れた。つまり、アイルランド内でのイギリスの権力を麻痺させようとしたのだ。

情報活動を成功させるために大変な努力が払われた。イギリスの公共機関（たとえばイギリス総督府が置かれていたダブリン城）で働くアイルランド人の公務員が、反乱軍に貴重な情報をもたらした。だからこそ、イギリスのスパイ部隊のメンバーを一日ですべて暗殺するという離れ業を成し遂げることもできた。

しかし「外交」や「情報」の戦いは、ひと握りのアイルランド人による軍事面での大奮闘がなかったらどれだけ成功したかわからない。一部の地方ではアイルランド側の軍事作戦が圧倒的な勝利を収め、イギリスは統治を回復できなかった。とくに荒っぽい地域であるウェストコークでは、トム・バリーという伝説的人物の率いる部隊が大変な武勲をあげた。他の部隊と同じように少人数だったが、地元住民に支持され、新しい「兵士」たちが次々と加わった。

これは現代のゲリラ戦の発明といっていい。アイルランド人は奇襲を仕掛けると、一般市民のなかに紛れ込んだ。彼らはアイルランドからイギリス軍を駆逐しなかった……というより、できなかった。ただイギリス側が蜂起を「鎮圧」できないようにした。

しかし、アイルランド人も自分たちが何を発明したかを十分に理解していなかった。ま

イギリス軍の攻撃で燃え盛るダブリンの税関（1921年）。当時、IRAが占拠していた。© Getty Images

だ兵士たちが軍服を着て、イギリス軍と正面からぶつかるような戦いをやろうとしていた。たとえば、一九二一年五月にダブリンの税関を占拠した戦いである。これらの戦闘で失敗が重なると、アイルランド側の動きはいくらか静かになった。各部隊は警備が手薄で小さな警察署を攻撃し、銃を奪った。プロテスタント系の貴族階級の邸宅を襲ったこともあった。こうした戦いが最終的な勝利につながった。

いろいろと欠点はあっても、イギリスは議会制民主主義の国だった。イギリス軍が復讐心に突き動かされてとった戦術（兵士たちはイギリスの領土を「警備」

しているというより、敵の陣地で包囲されているかのように行動した）は大きな批判を巻き起こした。

アイルランドに平和をもたらせないまま、イギリスは「弾圧強化」以外の対応をとれないという事実に直面した。道徳的にも政治的にも行き詰まりを迎えたのだ。

ついにジョージ五世が憎悪に終止符を打つよう求める演説を行った。和平会議が開かれ、その結果はアイルランドの二六州がイギリスから（完全にではないが）正式に分離するというものだった。

「戦争は過ちの少ないほうが勝つ」といわれることがある。アイルランドは過ちを犯したが、試行錯誤の末にイギリスを倒す方程式をつくり上げた。軍事面で勝つ必要はない、ただ負けなければいいという方程式である。

タイタニックを造った「対立の町」

客船タイタニックの物語を、ぼくはいつも歴史の一幕というより、寓話のようなものとして受け止めてしまう。「不沈船」と喧伝されていた船が初の航海で沈んだ物語は、この事故が起きた時代よりも、人間の傲慢さと愚かさについて多くを語っている。

しかしタイタニック沈没一〇〇周年にあたる二〇一二年、北アイルランドの都市ベルファストがタイタニック生誕の地であると主張する奇妙なキャンペーンを始めた。奇妙だというのは、地元で造られた船の惨事をわざわざ取り上げているからではない。タイタニックが建造された場所と航海に出た年が、まさにベルファストの悲しい分断の歴史を象徴しているからだ。

アイルランドはカトリック教徒の多い島だった（今もそうだ）。しかしアルスターと呼ばれる北東部には、一七世紀にスコットランドからプロテスタント系住民が大流入した。アイルランドを支配下に置こうというイギリスの政策の一環だった。

ベルファストはアルスター最大の都市で、カトリックとプロテスタントの住民が隣り合って暮らしていたが、関係は決してよくなかった。タイタニックの惨事が起きた一九一二年には一触即発の状況になっていた。

アイルランドで多数派を占めるカトリック系住民は、イギリスに一定の自治を求め、ロンドンの自由党政権はそれを認めようとしていた。この地域分権（「ホーム・ルール」と

タイタニックが造られたベルファストの造船所には、宗派間の対立が色濃く影を落としていた。© Getty Images

呼ばれた）には、アイルランド北東部のプロテスタント系住民が強硬に反対した。

両派の対立には宗教が大きな役割を果たしていたが、本当に問われていたのは国民のアイデンティティーだ。プロテスタントはイギリスの一部のままでいたかった（カトリックの島で少数派になるのが怖かった）のだが、カトリックはイギリスからの自治を求めていた。アルスターの宗派間対立には経済的な事情もあった。なかでも大きなものが、職をめぐる競争だ。

アルスターのプロテスタントはそれほど裕福ではなかったが、カトリックよりは明らかにいい生活をしていた。失業率もカトリックよりは低く、たいていはいい仕事に就いていた。ベルファストはアルスターの商業と工業の中心地であり、なかでもタイタニックを造ったハーランド・アンド・ウルフ社は最優良企業のひとつだった。

このころすでに造船所の仕事は、プロテスタントがほぼ独占していた。しかし一九一二年になって「ホーム・ルール」をめぐる緊張が高まると、プロテスタントの労働者階級がハーランド・アンド・ウルフに押しかけ、カトリックの労働者を追い出しにかかった。仕事が自分たちに回ってくるようにするためだ。

このように宗派の違いから生まれる暴力や脅しは珍しくなかった。カトリックの労働者に対する同様の攻撃は、プロテスタントが戦争に行ったために空いた仕事をカトリックの労働者が埋めていた第一次世界大戦後や、政治的な緊張が再び高まった一九二〇年代、そしてプロテスタントの失業率が大恐慌のあおりで上昇した一九三五年にも起きた。二〇世紀を通じて造船所の労働者のうちカトリックの占める割合が五%を大きく超えることはなかったが、カトリックはベルファストの人口の三分の一を占めていた。

一九二一年、アイルランドは分裂した。南部二六州はイギリスから独立したが、プロテスタントが多数派だったアルスターの六州は自分たちの政府を持ちながらイギリスにとどまった。

北アイルランド内に「取り残された」形になったカトリック系住民にとっては災難だった。彼らは二級市民になった。北アイルランドの初代首相ジェイムズ・クレイグが「豪語」したように、アルスターの六州は「プロテスタントの議会」を持つ「プロテスタントの国」となった。

選挙区の区割りは、プロテスタント系の政治家ができるだけ多く当選するよう手を加えられた。警察官はほとんどがプロテスタントだった。公共住宅や公務員の仕事、公共事業は、大半がプロテスタント系住民か彼らの多く住む地域に割り振られた。

一九六八年にカトリック系住民は、アメリカでマーティン・ルーサー・キング牧師らが率いた黒人の公民権運動の影響を受けて、みずからの「公民権運動」を始めた。この運動は警察に暴力で弾圧され、デモ行進は政府に禁止された。プロテスタントの暴徒はベルファストのカトリック系の地域を襲い、火を放った。

イギリス政府はこの危険な地域に治安を回復するため、一九六九年に軍を送って「直接統治」を敷いた。この介入は緊急事態に対する緊急の対応でしかなく、解決したものと同じだけの問題を生んだ。ベルファストはその後三〇年にわたり、暴力、テロ、経済的困窮の同義語となった。

この政治ドラマのなかで、ハーランド・アンド・ウルフが注目されたことがもう一度あった。一九七四年、イギリスとアイルランドの政府が北アイルランドに、プロテスタントとカトリック両派が適切な発言権を持つ新しい政府をつくろうとしたときだ。この「権力分割」は完璧ではないにしても、当時としては問題のたしかな解決策だった(現在はこの譲歩がようやく達成されている)。しかし一九七四年当時、アルスターのプロテスタント強硬派には受け入れられないものだった。ハーランド・アンド・ウルフの労働組合のある幹部は、プロテスタントの労働者によるゼネストを組織することに手を貸し、この合意を撤回に追い込んだ。

タイタニックが生まれた場所を考えるなら、あの船はぼくたちが考えているよりも、人間のおごりと視野の狭さの両方をよく表しているのかもしれない。

Chapter 6

英雄と悪役

スコット大尉

一〇〇年前、イギリスの探検隊が歴史に名を刻んだ。南極点に世界で二番目に到達したのだ。

直前の文を読み返すと、おかしな感じがするだろう。こういう場合、ふつう「二等賞」はありえない。一番は記憶されるが、残りは歴史のくずかごに葬り去られる。

しかしスコット大尉と彼の隊は、二等賞でありながら歴史に名を刻んだ。一九一二年、ロアール・アムンセンの率いるノルウェー隊から遅れること数週間で南極点に到達し、その帰り道に遭難死したためだ。

ロバート・F・スコットは、アムンセンより有名といえるだろう。イギリスでは間違いなくそうだ。スコットは、その時代のイギリスの探検家を突き動かした理想と現実主義と勇気を体現した存在として記憶されている。

この「南極点到達レース」の物語は、イギリスの小学生なら誰でも知っている。スコットの最初の挑戦は一九〇二年だった（ディスカバリー号で南極へ行った）。一九〇九年にはアーネスト・シャックルトン（ディスカバリー号の探検隊のメンバーだった）が、南極点にさらに近づいた。一九一一年一二月、ついにノルウェー隊が南極点に到達する。三四日後にべつのルートから南極点に達したスコットは、そのことを知らなかった。

スコットが今も人々の記憶に残っている理由はほかにもある。たとえば彼の二回目の遠征（テラ・ノバ号の探検）は、現在も南極で行われている研究調査の基礎を築いた。アムンセン隊はともかく南極点だけをめざして出発したが、スコットにとって南極点到達はいくつもあるゴールのひとつにすぎなかった。

南極大陸に立つスコット大尉。© Popperfoto/Getty Images

スコットの科学隊は膨大な数の標本を採集した（たとえば、なかなか手に入らない皇帝ペンギンの卵などだ）。気象に関するデータも集め、野生生物についても調べ、地質調査も行った。このとき集められたデータの一部は今も使われている（皇帝ペンギンの卵は現在もロンドンの自然史博物館に展示されている）。

スコットと彼の隊員たちが遭難死したことで、物語には悲劇の色が加わった。極寒と疲労と飢えによって、彼らは（おそらく）三月二九日に力尽きた。食料を置いたデポまであと数キロという所だったから、もしたどり着いていたら命を落とさずにすんだかもしれない。有名な話だが、ローレンス・オーツ大尉はその時点で隊にはいなかった。足に重度の凍傷を負っていた彼は、仲間の足手まといになることを知っていた。二週間前にブリザードの中、テントを出ていき、みずから命を絶っていたのだ。最後の言葉は「ちょっと出かけてくる。しばらく戻らないと思う」だった。

なかには、「無謀」な探検で命を危険にさらした男たちを称賛していいのかと疑問を投げかける人もいる。しかしスコットと隊員たちは、祖国のために何かを成し遂げ、世界に新しい知識をもたらそうとしたことで圧倒的に支持されている（死を予感しはじめてからも、まだ地質標本を運んでいた）。

だがスコットの評価をたしかなものにしたのは、彼が遺した日記かもしれない。現存する日記（ロンドンの大英図書館に保管されている）は、物語の貴重な証言者だ。オーツが自死を選んだことも、この日記から知ることができる。「私たちはオーツが死に向かって歩んでいたことを知っていた。……勇敢な男の、イギリスのジェントルマンの行動だった」

スコットは希望と失望を経験し、自分たちの偉大な闘いを明晰で抑制の効いた筆致で記録し、ついには死に直面した。「われわれは最後まで耐え抜く覚悟だが、疲弊していることは間違いなく、最後の瞬間は遠くない」。最後の日記には、自分と仲間たちの家族への気遣いがみえる。「どうか、われわれの家族をお守りください」

スコットは極寒の南極で朽ち果てたが、今もぼくたちは彼が迫り来る死と闘いながらいだいた思い——希望と恐怖——をこの日記から知ることができる。彼はただの伝説ではなく、ぼくたちと同じ人間だ。

モンティ

二〇世紀にイギリスは二度の世界大戦を戦ったが、ウェリントンやネルソンほど存在感のある軍事的英雄は生まれなかった。第一次世界大戦の指導層は無能で冷淡だと思われており、この戦いで大衆に人気のあった英雄は「ブリティッシュ・トミー（一般の兵士を指す言葉)」だ。第二次世界大戦ではウィンストン・チャーチルが国を鼓舞する指導者となり、軍の指導者は影が薄かった。

例外がバーナード・モントゴメリーだ。彼は初代アラメインのモントゴメリー子爵となったが、「モンティ」という愛称で知られている。

モントゴメリーはいくつもの意味でイギリスらしくない英雄だ。アングロ系アイルランド人の血を引き、ノルマン系の姓を持ち、傲慢でつき合いにくい人物だという評判があった(上官ともうまくいかず、アメリカ軍将校とも衝突した)。しかし、モントゴメリーが北アフリカで収めた勝利は第二次世界大戦の転換点といえる特別なものであり、少なくともイギリス人を強く勇気づけた。

イギリス軍はダンケルクの屈辱とシンガポール陥落によって大きな痛手を受けていた。一九四一～四二年にイギリス軍が敵と真正面から戦うことのできた唯一の地域が北アフリカだった。ここではドイツ軍が、イギリスのエジプトとスエズ運河における支配と、アラブ諸国の油田へのアクセスを脅かしていた。

一九四二年八月、エル・アラメインまで撤退していたイギリス軍のもとに、モントゴメリーが送られた。歴史のいたずらというべきか、彼はこの部隊の指揮官として二番手の候

チャーチルはイギリス国民に勇気を与え、モンティはそのチャーチルに勇気を与えた。© Mondadori via Getty Images

補だった（一番手は現地に向かうあいだに殺された）。しかし急に指揮官になっても、彼には十分な準備があった。

　現地に到着したモントゴメリーが将校たちに向けて行った演説は、録音が残っているわけではないが、よく知られている。これ以上の撤退はありえないと彼は宣言した。「われわれは立ち上がり戦う。ここで生きて踏みとどまれないなら、ここで死んで踏みとどまる」

　モントゴメリーは撤退の計画をすべて破棄すると述べ、不平不満は金輪際言ってはならないと語った。さらに彼は、ドイツ軍はいつ攻撃してきてもかまわないと語り、最終的に彼らは北アフリカから駆逐されると宣言した。

こうした演説は虚勢を張っているだけと受け取られかねないが、モンティの場合は状況判断の裏づけがあった。イギリス軍がさらに撤退すれば、エジプトは枢軸国に降伏することになる。イギリス軍は兵員数で上回り、物量的にも優位にあったから、あとはそれらをうまく使うだけでよかった。モンティは軍内の士気を高め（彼は非常にうまくやった）、守りを細かく準備した。彼は自信に満ちあふれており、眠っていたところを起こされてドイツ軍が攻撃してきたという報告を受けると、「よしよし」と言って、また眠りに就いた。

やがてイギリス軍は攻勢に転じ、エル・アラメインでの二週間に及ぶ会戦でドイツ軍に決定的な敗北を負わせた。

現在では、この北アフリカの戦いは第二次世界大戦の「枝葉」にすぎないという見方が一般的であり、その解釈も一面では正しい。しかし連合国は北アフリカで枢軸国を完膚なきまでに打ち破り、負わせた損失はスターリングラードの戦いにも引けを取らないほどの規模だった。

ドイツ軍が勝っていたら連合国には手痛い一撃になったはずであり、イギリス軍にとってこの勝利は大きな転換点となった。のちにチャーチルは有名な言葉を残した。「これは終わりではない。終わりの始まりですらない。だが、おそらく始まりの終わりだろう」

ゴダイバ夫人

誰でも人前で裸をさらすのは嫌だ（多くの人が見る悪夢のひとつでもある）。けれどもイギリス人は、裸をさらすことに特別な恐怖心をいだいている。それはたぶん、多くのイギリス人がひどく青白い肌をしているからだと思う。だからイギリス人は、民衆のためにこの究極の屈辱を受け入れた人物に特別な愛情とあこがれを持っている。

伝説は一一世紀のコベントリーにさかのぼる。アングロサクソン人の領主レオフリクは民に重税を課していて、情け深い妻のゴダイバ（ゴディバ）夫人はとても心を痛めていた。ゴダイバは税を軽くするようレオフリクに何度も頼んだが、夫は応じなかった。

あるときレオフリクは、そんなに税を軽くしてほしければ、裸で馬にまたがって町じゅうを乗り回してもらおうかとゴダイバをからかった。彼女はこの言葉を真に受けて、裸で馬にまたがり、夫が皮肉で言った約束を守らせた。

　伝えられているこの出来事が本当に起こったかどうかは定かではない。物語の周辺にはわからないことが多い（たとえば、そもそも伯爵には民に税を課すだけの力があったのか）。

　それでもゴダイバは現代でも大きな存在だ。コベントリーには彼女の銅像が立っているし、多くのアートや文学のなかに生きつづけている（ブランド名にも使われている）。

コベントリー市民に愛されているゴダイバ夫人の銅像。1951年、ジョージ六世が視察に訪れた。© AP/ アフロ

ゴダイバの伝説によれば、コベントリーの住民たちは彼女への感謝を示すため、窓を閉めきって家に閉じこもり、ゴダイバが裸を見られるという屈辱を味わうことなく馬に乗れるようにした。ただひとりだけ、トムという名の仕立屋がゴダイバの姿を盗み見て、そのために盲目になったといわれる。ここから、のぞき見を表す「ピーピング・トム」という現代の英語表現が生まれた。

こうした細部からゴダイバ伝説は独特の物語になっているが、まったく珍しい話というわけではない。高貴な男女が下々の者たちを助けるために苦難をこうむり、そのため人々と神に愛されるという物語はけっこう多い。

イギリス最悪の王様

ジョン王

ジョン王がイギリス史上「最悪の王様」だという見方を支持する理由はいくつかあって、公平なものもあれば、そうではないものもある。

ジョンの問題のひとつは、兄であり前任者であり、昔も今もカリスマ的な戦争ヒーローとみられているリチャード王に比べて、どうしても見劣りする点だ。「獅子心王」の名で知られたリチャードは十字軍を率い、イスラム勢力から聖地を奪還しようとした。リチャードが国にいないときに、ジョンはイングランドの支配権を兄から奪おうとした（失敗に終わった）。もちろんこれだけでも裏切りなのだが、もっとひどいことがさらに起こる。

一一九二年、兄のリチャードが十字軍遠征の帰りに、神聖ローマ皇帝ハインリヒ六世によって捕らえられたとき、弟のジョンは身代金の支払いを拒んだだけでなく、そのまま兄を拘束しつづけてくれるなら金を払うと先方に持ちかけた。

リチャードの母親は金を用意した（大変な金額である）。リチャードがイングランドに帰ってきたとき、ジョンはひざをついて許しを乞うた。驚いたことに、リチャードは彼を許した。リチャードは一一九九年に戦死し、子どもがなかったので、ジョンが王位を継承した。

ジョンはリチャードとは対照的に情けない王だった。とくに戦いのときは臆病だったと伝えられる。彼につけられたあだ名のひとつは「軟弱な剣」というもので、治世のあいだにフランスの領地の支配権を失った。

ジョンについて称賛できることがあるとすれば、イングランドの王国を取り仕切るのに大変な努力をしたことだ。戦争のため在位期間のほとんどを外国で過ごした「英雄的」な兄とは対照的だった（リチャードは現在のイギリスで一般に尊敬されているが、それに見合う人物といえなかったことは間違いない）。

貴族たちに屈して、マグナ・カルタに調印させられたジョン王。© Getty Images

問題は、ジョンが国の統治に関してろくな仕事をしなかったということだ。精力をそそいだのは重税を課したり、教会領を没収することだった。どちらも大きな反発を呼んだ。ジョンはローマ教皇に対して屈辱的な譲歩をせざるをえず、臣下の封建貴族たちはマグナ・カルタによって王の権力に制約を加えることを彼に認めさせた。ジョンは単に気まぐれな王だっただけでなく、弱い王だったのだ。

もしマグナ・カルタを潔く受け入れていたら、ジョンは意外な英雄になっていたかもしれない。だが彼は貴族たちに強要されて、しぶしぶ承認しただけだった。しかも、その後すぐに憲章を破った。

ジョンは不運でもあった。死去する少し前に、彼はイングランド東部のウォッシュ湾で財宝を失った。大波が押し寄せ、彼の財宝を積んだ荷車がすべて流されてしまったのだ。こうした不運な出来事について王を批判するのはどうかとも思えるが、当時の感覚でいえば実に大きな欠点だった。王は神託を受けた存在とされていた。神に愛された王は幸運に恵まれるだけでなく、国を安泰に保つとされた。だからジョン王の不運と彼が領地を失ったことは、神に好まれていないことを示しており、そのため王としては適格ではないことを意味した。

今でもジョン王はロビン・フッド伝説のおかげで、イギリス人の記憶に強く残っている。伝説のなかのジョンは欲深く狡猾な悪役で、ロビン・フッドの反乱を英雄的にみせる役割を果たしている。

だめな王様はほかに何人もいた。しかしイギリス人の心の中で「史上最も愛されなかった王様」の称号をジョンと争う王は、次のひとりだけだ……。

リチャード三世

ジョン王は兄を相手に反乱を起こした。しかしリチャード三世（在位一四八三〜八五年）は、まだ年若い甥を二人殺したといわれている。そのため王位に座ったなかでは——彼の在位期間はごく短いが——最も極悪非道な人物とみられてきた（実はジョンも権力を確保するために甥をひとり殺した可能性が高いのだが、その点はさほど現在の悪評につながっていない）。

リチャード三世はヨーク家のエドワード四世の弟である。エドワードの死によってイングランドは不透明な状況に陥った。ライバルのランカスター家は王位を奪還するチャンスをねらっていた。エドワードから王位を受け継ぐ息子は、まだ一二歳だった。

リチャードは自分の要求を支持する仲間を集めた。経験を積んだ戦士であり指導者である自分が、まだ幼い王の「摂政」になるというものである。しかしエドワード五世が戴冠もしないうちに、リチャードは彼をさらってロンドン塔に幽閉した（もちろん「新しい王の安全」のためだ）。すぐあとには王の弟も幽閉した。やがて二人は姿を消す。殺されたことはほぼ間違いない。おそらくリチャードの命令だろう。

そのときすでに、リチャードは王になっていた。エドワード五世とその弟は議会によって正統性を否定され、その後エドワード五世の王位継承は無効とされた。

ロンドン塔の中で姿を消した王子たち（ジョン・エヴァレット・ミレイ画）。© Getty Images

一八七八年に描かれたせつない（そして有名な）絵がある。天使のような二人の少年を描いたもので、ロンドン塔の闇の中で不安そうな顔をしている。

リチャード三世の描かれ方は、あまりいいものではない。シェイクスピアの史劇では、彼は道徳心のない狡猾な悪漢で、実の母親からも疎んじられている。芝居での彼の容貌は実に怪異だ。ボズワースの戦いでの彼の死（不満をかかえる臣下たちが、リチャードと王位を争う敵方についた）は、天罰のように描かれている。

シェイクスピアの史劇では、実の母親にも疎んじられるように描かれたリチャード三世。© Getty Images

もちろん、こうした描き方はほとんどが公平なものではない。リチャード三世はランカスター家を相手に戦って勝利した英雄だ。不名誉な最期を迎えたとはいえ、ボズワースでも勇敢に戦った。醜い容貌はどう考えても相当に誇張されている。心も醜いということを示唆する意図だ。

リチャードは甥から王位を奪ったが、彼の家が権力を維持するにはそれが最善の策だったともいえる。兄の結婚歴が複雑なことから、リチャードは甥たちが庶子であり、王位を継承できないと考えていたのかもしれなかった（当時のキリスト教徒の見方では、庶子であれば彼らは神託を受けられない）。

リチャード三世の名誉回復を図ろうとする人たちが、数は少ないがちゃんといる。彼らによれば、リチャードが甥たちを殺したという証拠はない。むしろ王位を継承し、ヨーク家を潰そうとしていたヘンリー・テューダーが王子たちを殺害した可能性のほうが高いという。さらにリチャード擁護派によれば、シェイクスピアの戯曲は多くの人のリチャード三世観を形づくっているが、のちのテューダー朝（エリザベス一世）の後援を受けて書かれたものであり、単なるプロパガンダととらえるべきだという。

リチャード三世は短い治世で、たしかな改革をひとつ行っている。法令を明確にして、貧しい人々にも理解しやすくしたのだ。このように彼は貧しい者の味方だったと言う人たちもいる。

実際には、リチャードの治世があまりに短いため、彼がどのような王だったかを証明するのはむずかしい。彼の人間性を見極めるのもむずかしい。数少ない史料は偏向したものがほとんどだし、シェイクスピアの戯曲に描かれた姿を受け入れるべきでもない。

しかし現実的に考えて、リチャードが二人の甥を殺したという疑いを完全にぬぐい去るわけにはいかない。そのことだけでも人々の目に、リチャードは昔も今も悪役として映る。

アン・ブーリンがイングランドを変えた

「クレオパトラの鼻が美しかったために世界は変わったのか」

これはぼくが大学の歴史の先生に聞かれて、何年も頭を悩ませた問いだ。もしもマルクス・アントニウスがクレオパトラと恋に落ちていなかったら、妻を侮辱することも義弟のオクタビアヌスを怒らせることもなく、オクタビアヌスが戦後に皇帝となって共和政の長い歴史に幕を下ろすことになったローマの内乱も起こらなかったかもしれない……。「じゃあ、もしもクレオパトラに口臭があったら、どうなっていたんだろう」と、ぼくは思ったものだ。

その後すぐに、ぼくはフランスのアナール学派の歴史家たちについて読んだ。アナール学派は「歴史から出来事をぬぐい去る」ことをめざしていた。「あの王が誰かにこう言った」

とか、「あの政治家の行動の裏にはこんな動機があった」ということにはかまわず、歴史をもっと長期的な視点から見ていた。たとえば農業は何世紀ものあいだにどう変わったかとか、村が数世代のあいだにどう変わったかとか……。ぼくはますます混乱した。もしそういうことが重要なのだとしたら、ぼくが大好きだった歴史上の数々のドラマは、つけ足しでしかなかったというのだろうか。

イギリス史のなかに、ときには巨大な変化がささやかな偶然によって起こることを教えてくれる一瞬（あるいはひとりの人間）が存在する。一五三四年、イングランドはローマ教皇の権威を拒絶し、国王を首長とする国教会を創設した。イングランドはカトリックからプロテスタントの国になった。

当時の影響は大変なもので、しかもそれは数世代にわたって続いた。この変化を引き起こした大きな要因が、ヘンリー八世がアン・ブーリンに恋をして、彼女と結婚したかったことだという事実は否定できない。

歴史学者でテレビの歴史ドキュメンタリー番組の司会者でもあるサイモン・シャーマはこう語った。「アン・ブーリンをめぐっては、あまりに多くの甘ったるいたわごとが書かれ、多くのハリウッド映画が作られた。……私たちはまともな歴史家として、彼女の人生を扱った突拍子もないソープオペラから目をそらさなくてはならない。……しかしどんなにがんばっても、また彼女に目をやってしまう。それは調べれば調べるほど、彼女がイギリス国教会を成立させた最大の要因であることがわかるからだ」

アン・ブーリンに恋したヘンリーの物語はとても有名なので、彼が「グリーンスリーブス」という歌を彼女のために作ったという神話も生まれた。一度聴いたら忘れられないこのロマンチックな歌は、イギリス人なら誰でも知っている。詞はある美しい女性への報われない愛を歌っている。作られたのはほぼこの時代であり、よく言われる話ではヘンリーがこの歌を作ったのは、アン・ブーリンが女王にしてくれないなら嫌だと言って彼の求婚をはねつけたときだった。ヘンリーが本当にこの歌を書いたことを示す証拠はないが、あまりにうまくできた話なので多く

アン・ブーリンはイギリスを変えた人物。それは美人だったから？© Getty Images

の人が信じるのも仕方ない。

イングランドがプロテスタントの国になった理由は愛だけでは説明できない。歴史や政治の背景が関係していたことはたしかだ。ヨーロッパの宗教改革が起きていなかったら、キリスト教の新しい形をつくろうと王が考えることはなかっただろう。カトリック教会の権威は、腐敗しているというイメージによって弱まっていた。同じく重要なのが、王は嫡出の息子をつくらなくてはならないと固く信じられていたことだ。王位継承者を確保し、内戦を避けるためだとされていた(これは間違いだったことがすぐにわかる)。

ヘンリー八世が結婚していたキャサリン・オブ・アラゴンはスペインの王女で、彼とのあいだに無事に生まれたたったひとりの子どもは女の子だった(これも歴史の運命のいたずらだ)。ヘンリー八世は息子が欲しかった。王がアン・ブーリン(妻よりも若い女性である)に出会ったとき、二つの欲望がひとつになった。

ヘンリーはキャサリンとの結婚を無効にする必要があった。彼はローマ教皇に婚姻の無効を宣言するよう頼んだが、タイミングが悪すぎた。教皇は神聖ローマ皇帝でありキャサリンの甥であるカール五世の事実上の捕囚になっていた。そんな状況だったから、教皇はヘンリーの頼みを却下するしかなく、これによってヘンリーがアン・ブーリンと結婚するには彼が教皇の権威を拒絶するしかなくなった。

　イングランド国教会が国王至上法によって生まれたのは一五三四年だが、同じ年には国王の権威が法によって拡大された。王の悪口を言うことは国家への反逆であり、死刑にできるという法である。しかも国家は修道院を解散させ、教会の富をかっさらった。

　しかしイングランドが支払った莫大な「コスト」は、世継ぎの誕生によって報われることはなかった。ヘンリーとアン・ブーリンのあいだに生まれた子どもは女の子がひとりだけで、そのあと何度か流産があった。アン・ブーリンも不安定な時代に権力のそばにいたことで、大きな代償を払った。一五三六年、彼女はでっちあげの反逆罪に問われて処刑された。

　ヘンリーは次の妻とのあいだに息子をもうけた。息子は王位を継承したが、幼い王の治世は早すぎる死によってほんの短いものに終わった。これでヘンリーの娘たちが王位を継承する以外にほとんど選択肢はなくなった。

　最初はキャサリンの娘メアリーだった。彼女はイングランドをカトリックに戻し、抵抗勢力を火あぶりにしたことから、「ブラッディ・メアリー（血まみれのメアリー）」という異名をつけられた。メアリーが子どもを産まないまま亡くなると、アン・ブーリンの娘エリザベスが王位に就き、プロテスタントを復興させた（今度はカトリックの信仰を守りたい多くの人々が処刑された）。エリザベスはイングランドでも指折りの優れた指導者となり、統治できるのは男性だけだという前提を覆した。

今もぼくたちは、イングランドがプロテスタントの国に変わったことの影響のなかに生きている。たとえば現在でも、カトリック教徒は王位に就くことを禁止されている。法律が改正されて、王位継承権を持つ王族がカトリック教徒と結婚することが許されたのは、つい二〇一一年のことだ。アイルランドがイングランドのプロテスタントへの改宗に続くことはなく、この点がイギリスとはべつのアイデンティティーを持つ大きな理由となっている。

ヘンリー八世とマルクス・アントニウスの恋が大変な影響を持ったことには、歴史的な要因もあった。共和政ローマは一世紀前から混乱していたし、プロテスタントは「魔性の女」がいなくても大陸ヨーロッパでは強大な勢力になっていた。それでも、ヘンリー八世があのときあの状況でアン・ブーリンに恋したことは、確実に大きな意味を持っていた。アントニウスとクレオパトラの恋も同じである。

ぼくの歴史の先生の質問には、もっと簡単な（あるいは逃げを打つような）答えがある。

クレオパトラもアン・ブーリンも、外見で世界を変えたわけではない。どちらも絶世の美女というわけではなかったからだ。

むしろそれぞれの時代の記録は、二人の女性の人を引きつける魅力に注目している。クレオパトラの背が低かったのはたしかで、見た目はごくふつうだったようだ。彼女の魅力は声の美しさと高い知性にあった。マルクス・アントニウスは政治の場ではクレオパトラをパートナーとして扱っており、ただの愛人ではなかった。

アンは醜かったわけではない（ヘンリーは女性の外見を重視したことで有名だ）。しかしアンの魅力は快活な性格と頭のよさと、外国についての知識にあった（彼女はフランスに住んでいた）。神の権威は教皇ではなく王を介してもたらされるべきだと主張する本をヘンリー八世に渡したのもアンだった。この考え方からイングランド国教会が生まれた。言い換えれば、歴史を変えられるのはあくまで「人」なのだ。

Chapter 7

外交か戦争か

カラクタクス王

ローマ人によるブリテン島の征服は、「ローマ中心」の視点（つまりごく一般の視点）から見ると次のように進んだ。

ユリウス・カエサルはガリア戦争のとき、ブリテン人がガリア人と通じ、物的な援助を送っているか、少なくとも精神的に支援していることを知った。カエサルは紀元前五五年と五四年に、ブリテン東南部に短い遠征を一度ずつ行った。数度の小さな戦闘の末、彼はブリテンのいくつかの部族から服従を勝ち得た。

一〇〇年後、ローマのクラウディウス帝は戦争指導者としての信頼を高めようとして、偉大な祖先の始めたブリテン征服という仕事に再び手をつけた。征服はとくに簡単だったわけではない（ローマが支配を固めるには数十年かかったし、ブリテンの北端は統治できなかった）。とくに困難だったというわけでもない（ドイツや小アジアでの苦しい戦いのように大きな後退はなかった）。ブリテン征服の最も大きな意味合いは、ローマ帝国が領土拡張に満足する前に加えた大きな領地のひとつだったという点かもしれない。

ブリテン側の視点（つまり少数派の視点）から見ると、この話はもう少しドラマチックになる。誰でも英雄的な抵抗の物語が大好きだ。それが「同胞」の物語であるときは、どんなに昔の話でも好きになる。

「戦う女王」のブーディカについては、前の本にも書いた。彼女はローマに抗戦し、ブリテン島におけるローマの首都コルチェスターと、ローマの権力を象徴する神殿を焼き払い、もっと「小さな」ローマの都市であるロンドンを奪った。スコットランド人は、ローマ人が彼らを征服できず、逆に自分たちの領土を守るために壁をはりめぐらせたことを誇らしく思うだろう（壁を築いた理由はもう少し込みいっているのだが、スコットランド人がローマ人の手に負えなかったという見方に

命乞いをするカラクタクス。すばらしい演説で家族の命も救った。© Getty Images

は一理ある）。

そしてカラクタクスである。そのころブリテン人は数十の部族に分かれ、対立し合っていた。なかにはローマ人を受け入れたほうがいいと考える部族もあった。ローマ人は、過去に他の部族を征服した部族より、征服されていた部族に便宜をはかったほうが忠誠を勝ち取れることをよく知っていた。他の部族はみずからの権益を守るためローマに抵抗した。そしてなかには、外国人の支配など許さないという思いから戦った者もいたようだ。

カトゥウェラウニ族のカラクタクスは、少なくとも人々のイメージのなかでは、この最後のものに当てはまる。紀元四三年のクラウディウス帝の遠征を迎え撃つため、ケントのメドウェイ川沿いで二日間にわたって行われた激しい戦いのときに、諸部族の連合を率いたのが彼だった。その数日後にはテムズ川沿いでも戦った。

クラウディウス帝自身も遠征に加わり、コルチェスターに進軍した。伝えられるところによれば、クラウディウス帝は隊にいた象の一頭に乗っており、それを見たブリテン人は唖然とするとともに感服したことだろう。ブリテン人はどの戦いでも圧倒されたが、カラクタクスは西へ逃げ、部族の土地がローマに支配されたあともローマ人と戦いつづけた。

五一年、カラクタクスは再びローマと戦ったが、このときはウェールズの部族を率いていた。「彼らの持ち前の獰猛《どうもう》さは、カラクタクスの才能への信頼によってさらに強められていた」と歴史家のタキトゥスは書いた。「カラクタクスの多くの敗れざる戦い、そして多くの勝利が、ブリテンの部族長のなかでも彼を際立った存在にしていた。カラクタクスの武力の足りない部分は、狡猾と分析によって補われた。……『ローマによる平和』が成立することを恐れるすべての者が彼に加勢した」

もちろんここでもローマ人が勝ち、このときはカラクタクスの家族まで捕らえた。カラクタクス自身は北へ逃げ、ローマ支配下のブリテンの部族長だったカルティマンドゥア女王に庇護を求めた。ところが彼女はカラクタクスをローマ人に引き渡してしまう。

長い戦いが悲しい結末を迎えるかに思われたが、ときにローマ人はまわりを驚かせるようなことをする。カラクタクスはローマに連れ去られたのち、元老院に呼び出された。そこで彼はすばらしい演説を行った。

「屈辱は私の運命であり、栄光はあなたがたのものであります。私には馬があり、部下がいて、武器も富もありました。私がそれらを失うのが悔しいと思っていることに、あなたがたは驚くでありましょうか。あなたがたが世界を支配したいのであるならば、それは他の人々はすべて奴隷になることを歓迎しているということにならないでしょうか」

タキトゥスが引用したこれらの言葉が正確なら、カラクタクスは実に狡猾だった。彼はローマ人にこう言っている。自分を殺せば、あなたがたのブリテン人に対する勝利に傷がつく。だが自分の命を助ければ、あなたがたの寛大さは後世にわたって記憶される……。ローマ人は偉大な慈悲を示すこともできたし、尋常ではない残忍さを示すこともできた。カラクタクスの勇敢で高貴な演説がローマ人を動かしたのだろう。彼は命を助けられ、妻と兄弟たちとともにローマで生きながらえた。

カラクタクスは帝国の権力に対する抵抗の(あるいはローマの寛大さの)象徴というだけではない。すべてを失ったとき、言葉に何ができるかを思い起こさせる存在でもある。

イギリスは期待する

ウィンストン・チャーチルの戦時中の演説が有名なのはもっともなことだ。しかしなかには、少し大げさだと思ったり、熱い語り口が「イギリスらしくない」と思う人がいる。イギリスの戦時中の指導者による感動的な「演説」がもうひとつある。簡潔で明快なメッセージが、人々の気持ちをわしづかみにする。「イギリスは全員がそれぞれの任務を全うすることを期待する」

この言葉は語られたものではなく、ふつうの意味で「書かれた」ものでもない。艦船ビクトリーのマストに掲げられた旗によって伝えられた信号である。一八〇五年のトラファルガー海戦の直前に、海軍提督ホレーショ・ネルソンの指示で行われた。

この重要な戦いで、イギリス海軍はフランスとスペインの合同艦隊を相手に勝利を収めた。これによって、イギリスはナポレオン戦争のあいだ海の支配権を手に入れた。ネルソン提督はこの戦いで戦死したが、このため言葉に重みが加わり、押しも押されもせぬ戦争の英雄となった。

その一〇〇年後、日本の東郷平八郎元帥は日露戦争の対馬沖海戦（日本海海戦）に先だって同様のメッセージを発し、大きな勝利を手にした。「皇国の興廃この一戦にあり。各員一層奮励努力せよ」

いまネルソンの銅像は、ロンドンの中心部にあるトラファルガー広場の巨大な円柱の上に立っている。円柱の高さはネルソンに対する国民の感謝を表すものとされたが、そのためにかえって、ふつうには銅像が見えなくなってしまった（だから、ネルソンの銅像より

ネルソンの銅像は高い円柱の上にあるので、トラファルガー広場に入ると見えなくなる（左）。円柱から離れると、ようやく見える（右）。

ネルソン戦死の場面と有名な言葉。

「ネルソンの円柱」の名で知られている）。

気づく人はほとんどいないが、台座には負傷したネルソンを部下が運んでいるところを描いたレリーフの下に、彼の有名な言葉が刻まれている。その言葉は趣旨は変わらないものの、正確にはあのとき旗で伝えられたものではない。

だからネルソンにとって本当に価値ある「記念碑」は、イギリス人が彼という人物とそのメッセージを、見たり確認したりする必要もなく記憶していることかもしれない。

ブリタニア、大海原を支配せよ

イギリス人なら誰もが知っている有名な歌がある。サビの部分はこんな詞だ。

統治せよ、ブリタニア
ブリタニア、大海原を支配せよ
ブリテンの民は、断じて断じて断じて、奴隷にはならない一七四〇年代に作られたこの歌が今も人気を失わないのは、イギリス人が海軍に強い愛着を持っていることの表れだ。この歌は海軍力をイギリスという島国の自由と独立に結びつけており、その点がイギリス人の海軍史に対する見方にみごとなほど合致していた。

イギリス海軍の前に、敵はほとんどいなかった。一五八八年にはフランシス・ドレーク提督の指揮の下、スペインの無敵艦隊を破った（スペイン艦隊はイギリスに侵攻してエリザベス女王を退位させ、再びカトリック教徒を王座に就けようとしていた）。一八〇五年にはトラファルガーの海戦で、ナポレオンの海軍に決定的な敗北を味わわせた。以後一〇〇年以上にわたり、イギリス海軍に挑もうという国は現れなかった。

これまでイギリス人が書いた小説のなかでも人気の高い二つのシリーズが、この重要な時代の架空の海軍の英雄を描いていたのは偶然ではない。C・S・フォレスターが一九三七〜六七年にホレーショ・ホーンブロワーという軍人について書いた小説一一作と、一九七〇〜二〇〇四年に出版された海軍士官ジャック・オーブリーと軍医スティーブン・マチュリンを主人公にしたパトリック・オブライアンの二〇作だ。どちらのシリーズもナポレオン戦争を舞台に主人公の波乱万丈の活躍を描きながら、その一方で操船の技術や、世界史を通じても有数の軍隊の世界をみごとなほど詳細に再現していた。

第一次世界大戦へと歴史が動くなかで、ついにイギリス海軍と肩を並べる強力な艦隊をつくろうという国が現れた。ドイツである。そこでイギリスでは、海軍力の優位を保つために巨大な戦艦をさらに建造しようというキャンペーンが始まった。当時のスローガンはよく知られている。

「We want eight, and we won't wait（八隻欲しい、今すぐに）」

戦争が始まってから、ドイツとイギリスの主力艦隊が戦った大きな海戦は一度きりだ。一九一六年のユトランド沖海戦である。序盤はドイツがやや優勢に戦いを進めたが、力の差を埋めるような戦果を上げられず、以後ドイツは海戦を避けざるをえなくなった。

現在のイギリス海軍は、もう世界最強ではない。しかし一九八二年になってもイギリスは、アルゼンチン海軍を破ってフォークランド諸島を奪還するため、一万三〇〇〇キロ先にまで艦隊を送ることができた。イギリス側から見てこの紛争は、フォークランド諸島の住民がイギリスへの帰属を望んでいるのに、アルゼンチンの軍事政権が島に侵攻したというもので、イギリスとしては島を解放する以外に選択肢がなかった。

「統治せよ、ブリタニア」の詞はイギリス世論の見方とまさに重なる。海軍力は自由のとりでだ、イギリスの独立を守り、外国の暴政と戦うべきものだ……。

汝より祝福されえぬ国は
暴虐なる支配者の前に伏すだろう
されども汝は、豊かに自由に繁栄し
他の恐れと羨望をその身に浴びるのを感じるだろう

だが、これだけではものごとの本質を見失う。強力な海軍を持つことで、イギリスは世界にその力を及ぼし、帝国を築き、維持することができた。海軍は倫理性の疑わしいこの一大事業に欠かせないものだった。イギリス海軍には恥ずかしい逸話もいくつかあって、それらを考えるにつけイギリスが暴虐な支配者ではなかったと言いきるのはむずかしい。

たとえば一八五〇年に行われたギリシャのピレウス港の封鎖は、当時の首相パーマーストン卿が命令したものだが、暴徒に襲われたアテネ在住のイギリス人（名前をドン・パシフィコといった）への補償をギリシャ政府が拒んだことへの対応としては明らかに過剰だった。

イギリス人も海軍を維持するために代償を払っていた。海兵がたくさん必要だったから、一八世紀の戦争では商船の乗組員が何千人と海軍に駆り出された（なかには船乗りではない者もいた）。イギリスには一九一六年まで徴兵制がなかったのに、彼らは艦船の乗組員にさせられた。

「統治せよ、ブリタニア」をパロディーにした替え歌があるのは、そのためかもしれない。パロディー版の歌詞は巧みに言葉が入れ替わっている。「Britannia, rule the waves（ブリタニア、大海原を支配せよ）」が、「Britannia waives the rules（ブリタニアはルールを無視する）」と。

一九〇二年、再び世界とつき合いはじめた年

「孤立」というのは、ふつう外交の分野ではいいことではない。だがイギリスには一九世紀後半に「栄光ある孤立」と呼ばれる時代があった。

ある見方によれば、イギリスは非常に強大だったため他国と強固な同盟関係を結ばずに

超然としていられ、ヨーロッパの厄介な問題に「巻き込まれる」ことを避けられた。この幸福で平和な状況は数十年続いたが、ドイツの台頭によってヨーロッパの力の均衡が脅かされたことで、イギリスは首を突っ込まざるをえなくなった。

「栄光ある孤立」という言葉が広まったのは一八九六年、イギリスが超然としていた時代のなかではかなりあとのほうだった。言葉のもとになったのはカナダのある政治家が議会で行った発言で、それがやがてイギリスで言い換えられて使われるようになった。

最近では一部の歴史家がべつの見方をしている。「栄光ある孤立」は意図された政策ではなく、どちらかと言えば当時の状況からたまたま生まれたものであり、一部の政治家は危険で不幸な状況だと考えていたこともあったという。

いずれにせよ、イギリスの孤立は一九〇二年、意外な相手と同盟を組んだことで終わりを告げる。その相手とは日本。それまで国際社会では重要な国とみられておらず、強力な同盟国がなかったためにイギリスよりもはるかに不安定な地位にあった。

もし日英同盟が、イギリスが国際政治の「水につま先をつけた」出来事だとするなら、それからすぐにイギリスは水に飛び込んだ。一九〇四年には英仏協商を締結し、一九〇七年には英露協商を結んだ。わずか数年のうちにイギリスは、第一次世界大戦をともに戦うことになる国々と同盟を結んでいた。

日本への影響も大きかった。日本は一八九五年の三国干渉によって、日清戦争後に割譲された領土を返還するという屈辱を味わっていた。イギリスと同盟関係を結んだことで、日本の意気は上がり、国際的な地位も高まった。やがて日本は三国干渉の中心だったロシアを破って復讐を果たす。

　日本とイギリスの協力関係の例のひとつが戦艦三笠だ。イングランド北西部にあるバロー・イン・ファーネス造船所で建造され、日英同盟が結ばれた年に日本に引き渡された。一九〇五年に東郷平八郎元帥（イギリスで操船術を学んだ）が対馬沖海戦（日本海海戦）でロシアの艦隊を破り、事実上ロシアに講和を求めさせるまで追い込んだとき、三笠は東

ポーツマスのドックに姿を現した戦艦三笠。イングランド北西部のバロー・イン・ファーネス造船所で建造された。© Newscom / アフロ

郷の旗艦だった。

三笠は一九二一年に廃艦が決まる。そして、日英関係は悪化する。だが三笠は今も生き残っており、横須賀で博物館になっている。それは戦艦だったときよりも、それぞれの理由で孤立を脱する必要があった二国の同盟をよく表す存在だ。

宥和政策

ネビル・チェンバレンの名は今では汚れきっている。彼は軟弱で臆病な男であり、イギリス首相としてヒトラーのあらゆる要求を受け入れ、ドイツに兵力の増強を許し、この気のふれた独裁者を結果的に後押しし、ヨーロッパの民主主義諸国を裏切ったとされている。

これらの批判には、たしかに多くの真実が含まれている。チェンバレンとその前任者と他のイギリスの政治家たちが進めた「宥和《ゆうわ》」政策は、第二次世界大戦への道筋を整えてしまった。しかも、イギリスとフランスがもっと早い時期に他のヨーロッパの小国と手を組み、ヒトラーに抵抗すべきだったことは明らかだ。

チェンバレンが自分自身とイギリスを辱めた最大の出来事は、一九三八年にミュンヘンに飛んでヒトラーと合意を結び、ズデーテンラント（チェコスロバキアの広大な地域）の併合を認めたことだ。チェコ人はこの交渉から事実上締め出されており、ミュンヘンの合意はすぐにひとつの民主主義国家の終焉につながった。ドイツがズデーテンラントを手に入れたのち、チェコスロバキアの主権を奪ったためだ。

ただしこうした評価は、あとになって見えた部分が大きい。ここで真実を見極めるためにあえて逆の見方をとってみると、宥和政策はまったく成功しなかったが理にかなっていたといえなくもない。チェンバレンは強い道義心の持ち主で、より大きな悪とみなすものを避けるために、おぞましい妥協をせざるをえなかったともいえる。

英語の「appeasement（宥和）」という言葉がもともと悪い意味ではなかったことを思い出すべきだろう。今では多くの人が「悪者に屈する」という意味だと思っているが、当時は「不平を抑えるため理にかなった要求に応じる」という意味合いが強かった。チェンバレン（そして彼の前のイギリス政府）は、一九一九年のベルサイユ条約でドイツ側に懲罰的に課された不当な制約を取り払うことで、ヨーロッパに和平の枠組みをつくろうとしたのだ。

こうしてヒトラーは、一九三六年にラインラントへ軍を進めることができた（ラインラントはドイツ領だったから、ベルサイユ条約で禁止されていなかったなら、この進軍が許されない理由がほかにあっただろうか）。一九三八年、イギリスとフランスはドイツのオーストリア併合に異議を唱えなかった。しかし同じ言葉を話す二つの国が連合を組むことが許されないとしたら、それはなぜなのか。

同じく一九三八年にズデーテンラントがドイツに併合されたときも、ドイツ側の挑発とプロパガンダで事態がこじれたとはいえ、併合を正当化できる理由はあった。併合された地域では人口の五〇％以上がドイツ系だったのだ（「民族自決」の権利は、一九一八年にアメリカ大統領ウッドロウ・ウィルソンが第一次世界大戦を連合国が戦った理由づけのために掲げた「一四カ条の平和原則」のひとつでもある）。

宥和政策の問題点はヒトラーの人格を大きく読み誤ったことだ。ヒトラーは世界を征服し、自由を破壊し、国や民族を根こそぎ消し去ろうとしていた狂信者だった。いくらドイツ側の理屈の通った不満を解消しても、その点だけは変えられなかった。

チェンバレンには、どんな代償を払っても次の戦争は避けなくてはならないという決意があったから、そのあたりが見えなくなっていた。彼とその同世代の人たちは、第一次世界大戦の惨禍を忘れていなかった。だが同時に、必要ならばヒトラーと戦うこともいとわないというイギリス人の意思を過小評価し、戦争が勃発した場合に起こりうるイギリス空爆の被害を過大評価していた。

今となっては哀れに聞こえるが、チェンバレンはミュンヘン会議で合意にいたったとき、「この時代における平和」を達成したと信じた。イギリスに戻ると、彼はヒトラーが署名した有名な「一枚の紙」を振りかざし、イギリスとドイツが二度と戦うことはないと宣言

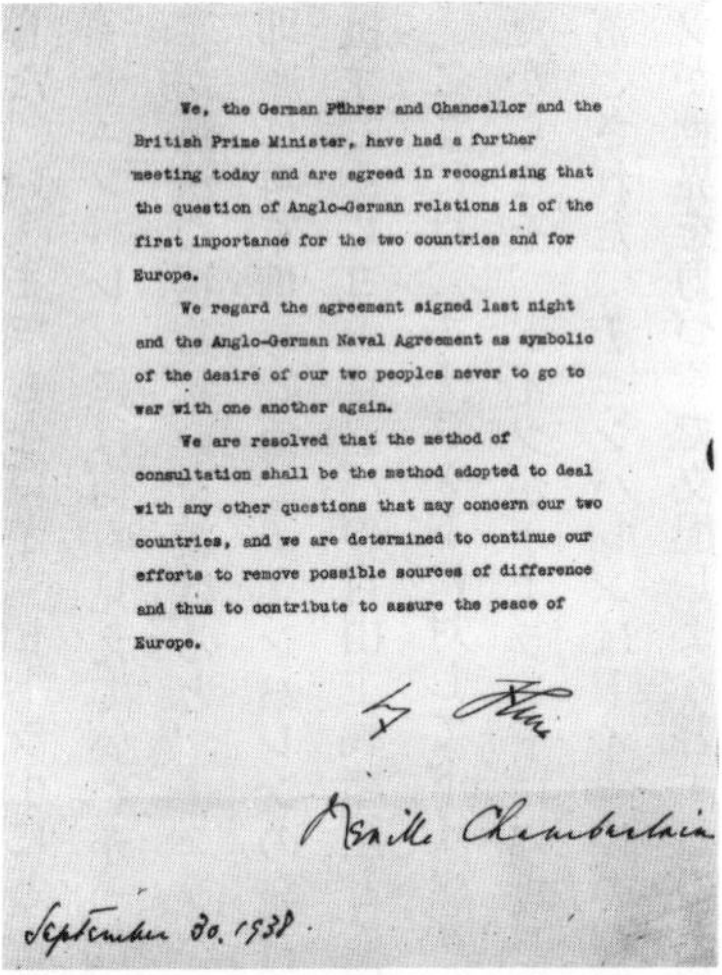

We, the German Führer and Chancellor and the British Prime Minister, have had a further meeting today and are agreed in recognising that the question of Anglo-German relations is of the first importance for the two countries and for Europe.

We regard the agreement signed last night and the Anglo-German Naval Agreement as symbolic of the desire of our two peoples never to go to war with one another again.

We are resolved that the method of consultation shall be the method adopted to deal with any other questions that may concern our two countries, and we are determined to continue our efforts to remove possible sources of difference and thus to contribute to assure the peace of Europe.

A Hitler

Neville Chamberlain

September 30. 1938.

チェンバレンにとっては「この時代における平和」の証明書だった。ヒトラーにはただの紙切れにすぎなかったとしても。
© Getty Images

チェンバレンは同じ紳士として話し合える相手だとヒトラーを誤解していた。
© Getty Images

した。いうまでもないが、ヒトラーにとってそんなものには意味はなかった。チェンバレンには何も見えていなかったわけではない。ミュンヘン合意のあとでヒトラーが無法な振る舞いを続けると、チェンバレンと彼の政府は行動を起こした。イギリスは即座に再軍備を始め、チェンバレンの発言のトーンは大きく変わり、無法者のドイツに対抗するためヨーロッパの自由主義諸国との同盟強化に動いた。

ここには、ポーランドに対してドイツからの独立を保証するという合意が含まれていた。だからこそ、ドイツがポーランドに侵攻したことによって、第二次世界大戦の幕が切って落とされた。チェンバレンはドイツ側の理屈の通った要求に応じる用意はあったが、ドイツが世界を力づくで支配しようとするのを傍観するつもりはなかった。

もちろんチェンバレンはみずからの行動によって戦時中にイギリスを率いる人物としては不適格とみなされ、チャーチルに首相の座を譲った。しかしチェンバレンのキャリアを公平に読み解いていけば、彼は道を誤ったもののまともな人物であり、臆病でも不届きでもなかった。

Chapter 8

イギリス族

ゴッド・セイブ・ザ・クイーン

ぼくが一九七〇年生まれでなかったら、シルバー・ジュビリー（女王の在位二五年）を「イギリス史」の本に入れるほど重要なことだとは思わなかっただろう。その話をこれから書こうとしているのは、ぼくが人生で初めて歴史的な瞬間を体験したと感じた出来事だからだ。

一九七七年、ぼくはエリザベス女王が在位二五年を迎えたと教わった。どれだけの時間なのか見当もつかなかったけれど、すごいことだと思った。国中でお祝いをするのだと教えられ、ぼくと姉は使うのがもったいないような記念のマグカップを買ってもらった。とっておけば、そのうち高い値段がつくかもしれなかった（もちろん記念のマグを買った人は何百万人もいたから、今ではなんの価値もない）。

シルバー・ジュビリーのとき、幼いぼくの頭はこの国の基本的な成り立ちに考えをめぐらせはじめていた。どうして女王のご主人が国王ではないかを習ったのを覚えている（国王のはずではないかとぼくは思っていた）。「クイーン・マザー（皇太后）」というのは称号

1977年、この一家のように多くのイギリス国民が大騒ぎした（もちろん、そうしなかった人もいたが……）。© Tim Graham / Getty Images

であり、彼女が「クイーンズ・マザー（女王のお母さま）」と呼ばれているわけではないと気づいたことも覚えている。女王は国を治めているわけではなく、首相という人がその仕事をやっていることも教わった。なんのとりえもなさそうな退屈な男をテレビで見て、こんなやつが女王から権力を奪ったのかと憤ったものだった。

一九七七年には、そのうち自分が中年になって女王のダイヤモンド・ジュビリー（二〇一二年の在位六〇年）を体験することになるとは思ってもいなかった。そのとき、ぼくが王室とその意味をまだ考えているとも思っていなかった。どうやらぼくのなかでは、一九七七年が今も大きな意味を持っているようだ。

なんといっても大変な時代だった。失業率は高く、労使関係は緊迫していて、街なかにはパンク族やスキンヘッドがあふれていた。国は分裂していた。富裕層と貧困層、若者と老人、右派と左派。女王はひどく嫌われていたというわけではなかったけれど、国をまとめる力にはほとんどなれなかった。国民のあいだにある溝が大きすぎたためだ。

よく知られている話だが、シルバー・ジュビリーのときにパンクバンドのセックス・ピストルズが「もうひとつの国歌」をリリースした。国歌と同じ「ゴッド・セイブ・ザ・クイーン」というタイトルだが、メッセージはまったく違っていた。「神よ、女王を守りたまえ、ファシスト体制を守りたまえ……あの女は人間じゃない……イングランドの夢に未来はない」。いま聴いても衝撃の走る歌詞だ。王室を尊ぶことがふつうだった当時では、まったくもって信じがたい曲だった。

セックス・ピストルズがリリースした「もうひとつの国歌」の広告。© Redferns / Getty Images

一九七七年にこの曲は事実上の放送禁止となった（ＢＢＣもＩＢＡ〔独立放送公社〕も放送しないことを決めた）。それなのに（いや、だからこそと言うべきか）、このレコードはとんでもなく売れた。広く信じられている話では、本当はヒットチャートの一位になっていたのだが、チャートを作っていたＢＢＣが細工をしていたため最高でも二位止まりだったのだという。

この話はぼくのなかに、ひどく矛盾した感情を呼び起こす。現状にこれほど大胆なメッセージを発したセックス・ピストルズのことは尊敬している。彼らの曲を放送禁止にするという当局のやり口は愚かだと思う（このグループのやかましい音楽のエネルギーはけっこう好きだ）。それでもぼくはこの曲のメッセージに共感できない。イギリスは「ファシスト」の国ではなかったし、未来もあったし、女王はどこから見ても人間だ。

もしかするとこのあたりに、イギリスの王室がこれまで持ちこたえてきたヒントが隠されているのかもしれない。ぼくたちは女王がマンガで笑いものにされ、映画に描かれ、物まね芸人のネタにされるのを目にしてきた。けれどもその結果、ぼくたちは女王のことをもっと好きになっているようなのだ。

それは、女王がこうしたことすべてに耐え、ただ自分の義務を果たすことだけでそれにこたえてきたからではない。そうではなく、王室や女王に対する批判が許されていることを示しているからだ。

女王は選挙で選ばれたわけでもないのに巨大な権力を持ち、大変な名誉を与えられ、非常に裕福な人だ。しかし、そんな彼女もぼくたちの批判を避けることはできない。だからぼくは、王室制度の欠点をやたらとあげつらう気にはなれない。

労働者階級の賭け事

一九世紀後半から二〇世紀半ばにかけて、イギリスの労働者階級が最も好きだった余暇の過ごし方は酒と賭け事であり、だから彼らは貧困から抜け出せず、生活にも悪影響を及ぼした。

いま書いたばかりの文の前半はいくらか当たっているが、後半は推測でしかない。だがこれは、当時のイギリス中流階級のあいだで一般的な推測であり、労働者階級に対する彼らの姿勢や政策を形づくるものだった。

賭け事も飲酒も、労働者階級にはごくふつうのことだった。しかし多くの場合、酒を飲む人は賭け事をせず、賭け事をする人は酒を飲まなかった（裕福なイギリス人は、この二つは切っても切れない関係にあると思い込んでいた）。

賭け事を「問題」とする史料は、賭け事に強く反対した人々や実際に反対運動を行っていた人たちが残したものだ。そんな偏った雑音のなかから、イギリス労働者階級にとって賭け事が本当はどんなものだったかを見極めるのはむずかしいかもしれない。しかしオッ

競馬の実況中継に聞き入る労働者たち（1931年）。© Getty Images

クスフォード大学のオーストラリア人歴史学者ロス・マッキビンがこの点をテーマにすばらしい論文を書いていて、ぼくは学生のときにとても面白く読んだ。

たしかに労働者階級のあいだには賭け事がはやっていた。通りを歩くと、きっと「出店」がいくつかある。パブには馬券を売る「胴元」がいて、ふつうは隅のほうに静かに座っている。工場には、門の外で待っている胴元に賭け金を渡す「運び屋」がいたりする。男たちの話題は「馬の調子」や「裏情報」ばかりだったという。男たちは駅のそばにたむろしては、競馬場から帰ってきた人たちに結果を尋ね、投じた金がどうなったかを少しでも早く知ろうとした。

中流階級の人々はこれを自堕落な習慣とみなし、労働者階級には倹約の精神が足りないと嘆いた。けれども現実的にみれば、イギリスの労働者階級にはいつもきちんと収入があったわけではなかったから、貯蓄の習慣を身につけろといっても無理な話だった。それに非常に多くの人が見さかいもなく賭け事にはまったり、この習慣によって身を滅ぼしたという証拠があるわけでもない。

賭け事に関する政府調査について、マッキビンはこう書いている。「さまざまな機関が手を尽くして調べたが、賭け事と貧困のあいだに相関関係は見つからず、賭け事と犯罪のあいだにも（賭け事がそもそも非合法だったという点以外に）相関関係は見つからなかった」。犯罪者が賭け事ですった金を埋め合わせるために犯行に及んだと申し立てても、警察が調べればそうではない場合がけっこうあった。

賭け事は「悪徳」というより「趣味」と考えたほうがいい。労働者階級の男たちは、賭ける馬を適当に選んでいたわけではない。スポーツ新聞でそれぞれのレースを細かく分析し、仲間と情報を交換し、賭け事についての本を読んでいた。彼らはリスクを抑えるために、馬のオッズが高すぎたり低すぎたりする場合を見逃さないようにしていた。なかにはリスクを分散させる賭け方を研究する者もいて、これはけっこう複雑な計算が必要になる。労働者階級の男性が文字と計算を学んだのは賭け事があったからだというのは、おそらく言いすぎだろう(そう主張する人もいる)。それでも賭け事は、知力を育てる趣味だった。退屈で変わりばえしない工場の仕事に追われる男たちの心に刺激を与えるものだった。労働者階級の男性は勝ち馬がゴールするのを見ることで「熱狂」を求めたという説も正しくない。賭け事をする男たちの大半は、自分の賭けているレースを見ることさえできなかった。

賭け事が得意な男性が仲間うちでの評価を高めたこともあるだろう。みんながほぼ一様に貧しいコミュニティーでは、これも大切なことだ。

労働者階級の賭け事は、その全盛期には現在の宝くじのほぼ対極にあったともいえる。今の宝くじは数字を適当に選ぶだけで頭を使う必要もないし、買う人たちはとんでもない大金が転がり込むことを期待する。けれども一九世紀後半から二〇世紀初めの賭け事はささやかなもので、男たちが求めていたのはラジオを一台買ったり、短い旅行に出かけたりする程度の金だった。生活にわずかな変化をつけてくれるが、生活自体を大きく変えるものではなかった。

労働者階級を描いた小説『ケス——鷹と少年』に、賭け事にからむ悲しい物語がある。炭鉱労働者のジャドは弟のビリーに「二重勝」の馬券を買っておいてくれと頼む。だがビリーはその予想が当たることなどありえないと思い、預かった金をべつのことに使ってしまう。予想はみごとに当たるのだが、ジャドはかなりの金額にのぼった配当を手にできず、腹いせにビリーの飼っていた鳥を殺してしまう。

作者のバリー・ハインズは、ジャドがこれほど暴力的に反応した理由をもっとはっきり書くべきだったと言っている。「ジャドが暗闇の中で懸命に働いている場面を入れるべきだった」とハインズは書いた。「炭鉱の狭い作業場で石炭をかき出しているところを。そうすれば、手に入れそこねた金の大切さを浮き彫りにできただろう……。『その金があれば仕事を一週間せずにすんだ』と彼は吐き捨てるように言う。空気のきれいな、空の見える場所で過ごせた一週間だ」

ジャドのような男たちにとって賭け事は気晴らしであると同時に、決して楽ではなく、往々にして短い人生の途中でひと息つくという夢を与えてくれるものでもあった。

ギルバート&サリバン・ブーム

イギリスには優れたオペラの伝統がない。そこそこの作品なら、ベンジャミン・ブリテンやヘンリー・パーセルといったイギリス人作曲家が作っている。しかし、作られた当時も大変な人気を呼び、現在でもイギリス文化に大きな意味を持つオペラの作品群のことは、外国にはあまり知られていない。

W・S・ギルバートとアーサー・サリバンは一九世紀後半の二五年間に、十数作に及ぶ「ライト・オペラ」を書いた。その一部は五〇〇回以上にわたって上演され、会場はたいていサボイ・シアターだった(そのため、このジャンルは「サボイ・オペラ」と呼ばれることがある)。

一五〇〇年前のロンドンをとりこにしたギルバートとサリバンのブームの大きさは、今となっては正確に把握するのがむずかしい。たとえば二人の最大のヒット作である『ミカド』は、イギリスの「日本ブーム」につながり、上流・中流階級の家のインテリアにまで影響をもたらした。

二人の人気はすさまじく、レコード産業はまだ生まれたばかりだったため、作品の楽譜の海賊版が大変な勢いで売れ、サリバンは出版元を訴えるのに大忙しだった（音楽家の知的所有権の侵害が、インターネット上での楽曲のダウンロードが最初ではなかったのは面白い）。

ギルバートとサリバンの作品は高級な芸術ではない。あくまでエンターテインメントであり、ヴェルディやワーグナー（二人ともほぼ同時代の作曲家だ）のオペラよりは、現在のミュージカルに似ている。

二人の作品には風変わりなものが多い。舞台は異国で、ストーリーは破天荒で、そこへ意外なひねりが加えられる。一見すると、浅い作品かと思える。だが二人は同時に、イギリス人を風刺し、イギリス社会を笑いとばし、しかも実に覚えやすい歌を作品に入れた。彼らの作品は、現在でも英語圏のアマチュアや学校の劇団でよく取り上げられる。

『ミカド』（一八八五年）は二人の作風と人気の両方をよく示す作品だ。物語の舞台は日本ということになっているが、一九世紀の実際の日本とはほとんど……いや、まったく似ても似つかない。ティティプという町があり、プー・バーという傲慢な人物がいて、彼はこっけいなほど多くの肩書を持っている。ミカドの息子はナンキ・プーという名で、「さすらいの旅芸人」に身をやつしている（旅芸人はギルバートとサリバンの作品によく登場する。実は旅芸人ではなかったことがあとでわかるという筋立てだ）。

ナンキ・プーはヤムヤムという娘に恋をするが、ヤムヤムは死刑執行大臣のココと婚約している（しかもこの国では、男女がいちゃつくことが犯罪とされている）。物語には多くのひねりがあって、たとえばココは一カ月に少なくとも一件は死刑を執行せよと命令を受けるのだが、気がやさしいのでそんなことはできないという展開になる。

あまりに奇想天外だ。だが、もちろんこの物語は日本についてのものではない。遠い異国という設定に日本を使っただけの喜劇だ。しかし扱われているテーマは万国共通のもので、実は日本よりイギリスを風刺した作品といえる。傲慢で腐敗した役人、意味のない官僚組織、理屈に合わない法律……。そして物語の中心にあるのは愛だ（報われない愛、許されない愛、あるいは成就した愛）。

ぼくが面白いと思ったのは、二人は『ミカド』をもう少しまじめな作品にするつもりだったという点だ。ギルバートの書いた、「魔法のドロップ」が人々を恋に陥れるという筋書きのオペレッタに、作曲を担当するサリバンが協力しなかったことで、二人のあいだには亀裂が生じていた。

しかし『ミカド』の企画が持ち上がると、サリバンはコンビの再開に応じた。二人はこの作品がきちんと日本風に見えるよう相当の努力をした。制作に取り組んでいたあいだには、ロンドンのナイツブリッジに誕生した有名な「日本村」を訪れたこともあった（二人は日本村にいる日本人をリハーサルに招き、俳優に助言してもらった）。

二人は日本を正確に描こうとしたけれど……。© Getty Images

この二人の物語にいくらか味つけしたのが、イギリス人監督マイク・リーの作品で、ぼくが最も好きな映画の一本である『トプシー・タービー』だ。大変な成功を収めた二人の男が、さらに最高の作品を生み出すなかで体験する闘いの細部を見るだけでも価値がある（その作品が、今では多くのイギリス人が目を覆いたくなるようなものであっても）。

ギルバートとサリバンのコンビがモーツァルトに並び称されることはありえない。けれども彼らがすばらしい曲をいくつも作り、イギリス文化史に重要な地位を占めていることはたしかだ。

イギリス人の名字

イギリスで名字が使われるようになったのは、一三～一四世紀ごろのことだ。使いはじめた「瞬間」があったわけではなく、必要に迫られて広まったようである。

日本人の名字で圧倒的に多いのは、地理や場所に関係するものだ（山本、田中、川口）。しかしイギリス人の名字は、たいてい職業に関係している。ベイカー（パン屋）、ブッチャー（肉屋）、カーター（荷馬車屋）、クーパー（桶屋）、クック（料理人）、カーペンター（大工）、フィッシャー（漁師）、フレッチャー（矢羽職人）、ミラー（粉屋）、メイソン（石工）、ポーター（門番）、スミス（鍛冶屋）、テイラー（仕立屋）、サッチャー（屋根ふき職人）、ライト（大工）……。

名字のいわれで、もうひとつ多いのは家系に関するものだ。父親の名をとった名前がそのまま名字になったという場合である。

たとえば「ジョンソン（Johnson）」、あるいはその変形である「ジョーンズ（Jones）」は、どちらも「ジョンの息子（John's son）」という意味だ。同じパターンは、ほかにいくらでもある（Thompson, Peters, Clarkson など）。この手の名字は、とくにウェールズに多い（Jones, Williams, Evans など）。スコットランドでは「Mac」や「Mc」という接頭辞が「誰々の息子」という意味になる（MacDonald, McIntosh など）。

イギリス人はある程度まで、名字がその人の性格や背景を知るヒントになると思っている。おかしな話だが、「職人的」な名字やありふれた名字の人は、きっと実直なのだろうとぼくは思ってしまう。

労働党の党首をつとめたジョン・スミスは、この国で最もありふれた名前の持ち主だったことから、「とても平凡な男」という印象を与えていた。スミスはスコットランド人なのだが、この名前がイングランド人のように聞こえることも彼には損にならなかっただろう（スミスは一九九四年に急死し、首相になることはなかった）。

二〇一二年現在の首相であるデイビッド・キャメロンはイングランド人だが、スコットランドの名字を持っている。キャメロンは二〇一二年二月にスコットランドを訪問した際、この点に少しだけ触れた。現地で高まっている「独立」の機運を牽制したいという思いからだろう。

マーガレット・サッチャーは「職人的」な名字を持っていた。名門の出自が強調されることなく、まぎれもない保守本流という彼女のイメージにみごとに合っていた。

二つの姓をつなげた名字はイギリスではけっこう珍しく、あったとしてもほぼ上流階級に限られる。高貴な家系に生まれたのが娘ばかりだったとき、家名を絶やしたくないため、結婚の際に夫の姓と組み合わせるのだ。俳優のヘレナ・ボナム＝カーターの家系に詳しい人はほとんどいないだろうが、たいていのイギリス人は良家の出だろうと推測できる（実際、彼女は元首相の血を引いている）。

ときにはつなぎ合わせる姓が増えて、三つの姓を重ねた名字を持つ家もある。そういう家に生まれた人は、まわりからおかしな名前だと思われることだろう。姓は親や先祖から受け継いでいるものだから、それで人を判断するのはあまり公平ではないのだが。

名前から予見を持つことは偏見につながるが、そうした例はいくらでもある。たとえばベイカーさんのことはまじめな人のように思ってしまうが、とくにそういうわけでもない。二つの姓を組み合わせた名字の人は良家の出のように思いがちだが、たとえばロイドジョージさん（有名な首相のひとりだ）はウェールズの庶民だった。論理的に考えれば、ある人の名字は何百人何千人という祖先のなかのたったひとりから受け継がれたものだから、その家系の性格やら何やらが数百年にもわたって受け継がれたとは考えにくい（まず、それだけの性格やら何やらがあったとしての話だが）。

こんな偏った見方のなかにも小さな真実が含まれている。イギリス人の姓のもうひとつのタイプは「貴族的」なものだ。この種類の姓はほかのタイプより古いことが多く、少なくともイギリスではノルマン・コンクエストにさかのぼれるものがかなり多い。ノルマン人はその名前とともにイギリスを征服し、何世代にもわたってノルマン人同士で血縁関係を結んでいた。

ノルマン人がノルマン人以外と血縁関係を結びはじめたときには、裕福で顔の効く家との結婚を進める傾向があった。今でもノルマン系の姓を持つ人たち（フィッツジェラルド、ガスコイン、モントゴメリー、ベナブルズなど）は、統計を見ても非ノルマン系の人たちより裕福だし、長生きしている。

しかし、ここにも例外がある。ジョイスはノルマン系の名前だが、ぼくの（わりに最近の）先祖はアイルランド西部のメイヨー州の出身で、貧しい国の最も貧しい地域で小さな土地を耕して暮らしていた。

ノルマン人は英語をこんなに面倒にした

ノルマン人が犯した多くの罪のなかで、新しいボキャブラリーをイングランドに持ち込んだことはあまり重いものとみなされていない。でも英語を勉強する人たちにとっては、ノルマン人を恨む理由になるかもしれない。

ノルマン人の支配層はフランス語を話した。やがて英語が主流になっていったが、それでもノルマン人の言葉が数多く取り入れられた。だから英語には、まったく意味の同じ単語が二つある場合が多い。たとえば、「start（サクソン系の単語）」と「commence（ノルマン系の単語）」、「end」と「finish」、「look」と「regard」……といった具合だ。

ときどき、かすかにニュアンスや用法が違うことはあるのだが、単によけいに言葉を増やしていることも少なくない。

たいていの場合、これら「ノルマン・フレンチ」の単語はラテン語が起源で、少しだけ「おしゃれ」な響きがする。「merchandise（商品）」を「purchase（購入する）」ことを考えていると言えば、「goods」を「buy」したいと言うよりもおしゃれな感じがするし、少なくともおしゃれだと思ってほしいことがわかる。

「brotherly」と「fraternal」はどちらも「兄弟のような」という意味だが、「fraternal」という単語を知らないイギリス人もいる。友人のトレバーの言い方を借りれば、「fraternal」は「大学的言葉」なのだ。

ライターになりたい人や大学生にありがちなことだが、何かを表現するときにやたらと格好いい言葉を使うのはよくない。「病気」と書きたいときに「illness」ではなく「malady」を使ったり、「尋ねる」と言うときに「ask」ではなく「enquire」を使ったりする。たいていの場合、サクソン系の単語は短くて、回りくどくなくて、わかりやすい。

サクソン系とノルマン系の言葉が、わかりやすさでは同じくらいの場合もある。「修理する」と言いたいときに、たいていの人は「fix」と「repair」をあまり区別せずに使っている（「repair man」に「fix」を頼んだりする）。

ノルマン人が必要もないのに英語を複雑にしたケースもある。動物の豚は「pig」だが、食べる豚肉は「pork」だ。「cow（牛）」と「beef（牛肉）」、「sheep（羊）」と「mutton（羊肉）」の関係もこれと同じだ。

大人になってからも「venison」が「deer（鹿）」の肉であり、「veal」が「calf（子牛）」の肉だと知らなかったイギリス人は、ぼくだけではないと思う。今あげた例の場合、動物を表す単語はサクソン系で、食肉を示す単語はノルマン系だ。歴史を振り返ればうなずける。たいていの場合、家畜を育てるのはサクソン人で、肉を食べるのはノルマン人だった。

若いジャーナリストが間違えやすい小さなポイントのひとつに、英語の形容詞には男女間の区別がないというものがある。これには例外がひとつある。サクソン人は誰かが「fair（金髪の）」な髪をしているという言い方をしたが、ノルマン人がべつの単語を持ち込み、その変形が今も残っている。男性の場合は「He is blond.（彼はブロンドだ）」なのだが、女性だと「She is blonde.」と最後に「e」がつく（しかし「hair（髪）」という単語には男女の区別がないから、「She has blond hair.」と書くときには「blond」に「e」をつけない）。

サクソン系の単語が古くさく聞こえる「occasions（場合）」がある（サクソン系なら

「times」だ)。「uncouth」という単語が「rude(無礼な、粗暴な)」の意味であることをぼくらは知っているけれど、実際に使うのはちょっと「odd(変な)」感じがする(ノルマン系なら「strange」だ)。

今の文章を読んで頭がこんがらがったり、いらついたりしてきたら、それはノルマン人のせいだ。

「イギリス」は誰だ?

ときおり歴史のなかで、イギリス人は自分たちが何者かをはっきり認識することがある。とてもはっきりしているから、イギリス人は自分たちを象徴する(あるいは多くのイギリス人を象徴していると思われる)人物を「指名」することまでできる。

イギリス人が「統治せよ、ブリタニア」を歌っていたころ、彼らはみずからに海を支配することを求め、女神ブリタニアがイギリスを体現していた。彼女は権威があり、勇敢でもある。いつも矛と盾とともに描かれ、ときには獅子に伴われ、ときには馬車に乗っている。実際、彼女には軍事的な力に裏づけられた落ち着きがある。

ブリタニアはイギリスの硬貨によく登場した(いま流通している五〇ペンス硬貨の一部には、裏側にブリタニアが描かれている)。しかし今はもう、彼女が持ち出されることはめったにない。ブリタニアがおもに体現しているのは今は存在しないイギリス、帝国を支配した軍事大国だからだ。いま「統治せよ、ブリタニア」が歌われるとき、そこには古い時代を懐かしむ意味合いが込められている。イギリスはもう海を支配していないし、もうブリタニアの国ではない。

ジョン・ブルはイギリスを象徴する人物としては、もう少し長く生き残っている。それはジョン・ブルの象徴するものが、イギリスという国よりイギリス人だからかもしれない。この数百年にイギリス人の性格が国の状況ほど変わっていないというのは興味深い。

ジョン・ブルはどっしりしている。田舎に住む中流階級だが、それほど裕福ではない。少し太めで赤ら顔で、見た目はぱっとせず、ハンサムでもない。彼はイギリスに根を生やしているかのようで、ナンセンスなことは支持しないし、自分からはけんかもしないが、もしやらないといけないなら逃げたりはしない。彼のファーストネームはイギリスではありふれたもので、名字はものごとに動じない強さを感じさせる。あるいはイギリス人の好きな料理がローストビーフであることを思い出させるかもしれない。

ぼくがロンドン東部のロムフォードで子ども時代を過ごしていたとき、ぼくらの数少ない誇りのひとつは、地元の醸造所が全国的に売れているビールを作っていることだった。ビールの名は「ジョン・ブル・ビター」といって、いかにもイギリスらしくて安心できる

大英帝国を体現していた女神ブリタニア。© Universal Images Group / アフロ

ジョン・ブルはイギリスの魂を象徴していた。

ビールだという含みがある。

第一次世界大戦の幕が切って落とされると、それまで端役だった人物がイギリス人の生活という舞台の中央に立つようになった。「トミー・アトキンズ」はごくふつうのイギリス兵士を表す人物だったが、第一次世界大戦までイギリスには徴兵制がなかったため、軍人は他の国民とは切り離された「階級」を構成していた。

「帝国の詩人」とも呼ばれたラドヤード・キプリングは一八九二年、トミー・アトキンズの目線から軽めの詩を書いた。詩の中では、ふつうの兵士が社会で邪魔者扱いされていることを悲しく感じているのだが、もちろん戦争が始まると彼はとたんに必要とされる。

トミー、こうしろよ、トミー、ああしろよ、「トミー、失せろ」
でも楽団が演奏を始めたら「ありがとう、アトキンズさん」……。

ここでいう「楽団」は軍楽隊のことだから、あとの行は「戦争が始まったら」という意味になる。

実際、一九一四年に第一次世界大戦が始まると、トミー・アトキンズに対するイギリス人の態度はがらりと変わった。彼らがトミーに感謝しただけでなく、トミー自身も変わっていた。数百万の「ふつう」の市民が、志願か徴兵によって塹壕で戦うようになると、「トミー」は隣の家の（軍服を着た）男の子になった。トミーはこんなふうに描かれた。彼は若く、裕福ではなく、高い教育も受けていない。出身地が都会なのか田舎なのかはわからない（この戦争では多くの兵士が区別なく死んだために、そんな違いは無意味になった）。彼は静かななかにも決意を秘めている……。

ある意味で、トミーによってブリタニアの影は薄くなった。両者とも人々の心に生きつづけているが、ブリタニアは強大な海軍力によって世界を支配した時代の象徴であり、一方のトミーはドイツの侵略に立ち上がるために厄介なヨーロッパの戦争に送り込まれた純朴で誠実な若者なのだ。

知名度はやや落ちるが、わりと最近イギリスを象徴するようになったキャラクターで、珍しくマイナスのイメージを持つものがある。ジョー・ブログズだ。いいイメージがないから自分を「ジョー・ブログズのタイプ」と言う人はほとんどいなかったが、一九七〇年代から九〇年代までのあいだ、この名前は「ふつうの人」という意味合いで使われた。ジョー・ブログズは白人の労働者階級だ。ビールを飲み、おそらくたばこも吸っていて、サッカーが好きだ。教養はないが、ある種の常識は持っている。もし政治家が何か思いきった提案（欧州連合の加盟国でひとつの軍隊をつくるべきだとか）をしたり、ファッションデザイナーが男でもピンクのシャツを着ていいと言いくるめようとしたら、イギリス人はこう言ったかもしれない。「ジョー・ブログズは許さないよ」

しかしジョー・ブログズは、いささか調子のいい男だとも思われている。自分の利益を考え、ときにはずる賢く立ち回る。ジョー・ブログズはどんな理由があっても仕事中の午後のお茶の時間を二分だって削らないし、自分の勤める会社が赤字なのに給料の大幅アップを求めるストライキを支持したりする。

ジョー・ブログズは各方面からの攻撃によって「殺された」。最初の打撃は、七〇年代に労働者階級の失業率が急上昇したことだ。ジョー・ブログズは家族を支える労働者であり、だからこそそれなりの地位を確保していた。しかし仕事がなくなると、もうジョー・ブログズではいられなくなった。

第二に、イギリスの都市が移民によって変わったことだ。今だったらロンドンやバーミンガムのふつうの労働者は、ナイジェリアやアフガニスタンの生まれかもしれないし、パキスタン系のイスラム教徒かもしれないし、ポーランド系のカトリック教徒かもしれない。

これほど多様な社会では、「ふつう」のイギリス人のアイデンティティーを見つけることなどできない。

　第三の打撃は、誰もジョー・ブログズになりたくなかったことだろう。労働者階級の男性にしてみれば、ジョー・ブログズの描かれ方は自分たちへの侮辱とも受け取れた。ジョー・ブログズはごくふつうの男だが、イギリスの労働者階級はまわりと差をつけようとした。たいてい車や高い服を買うことで差をつけようとして、たいていまわりと同じような車や同じブランドの服を買ってしまうのだが、それでもジョー・ブログズになるまいとした。いまジョー・ブログズの話が出てきたら、ふつうは三〇年前の人をイメージする。

　国を象徴するこれらのキャラクターは、その当時も例外なく当てはまっていたわけではないし、全面的に受け入れられていたわけでもない。しかしそれぞれの時代ごとに、国や国民（あるいはその一部）を広く象徴するようになった。よくも悪くも、今のイギリスにはどのキャラクターも当てはまらないのだろう。

コリン・ジョイスとは、彼の前著『「イギリス社会」入門』からいっしょに仕事をしている（もちろん、コリンと僕が週刊誌『ニューズウィーク日本版』の同僚だったときを除けばということだけれど）。その本の訳者あとがきで、僕はうめくかのように「なぜもう少し早く書いてくれなかったんだ？」と書いた。

実際、そのとき僕はうめいていた。雑誌の仕事を辞め、大学院で勉強するためにイギリスに一年半ほど住んだのだが、『「イギリス社会」入門』を読んでから行っていれば、現地で経験したあんな苦労もこんな苦労も、みんな味わわなくてすんだのにと思ったからである（正確に言えば、いずれにしても苦労は味わったのだろうけど、その裏側にあるものをもう少し楽しめたと思うのだ）。

そんなわけで本書はコリンといっしょに仕事をさせてもらう二冊めの本になるのだが、毎週送られてくる原稿を日本語にしながら感じていたのは、前著とまったく同じことだ。

そう、僕はこの本をイギリスに住む前に読んでいたかった。そうすればイギリスの歴史に関する基本的なことがらをもっと理解できただけでなく、現地で強烈に感じたさまざまな「驚き」を、もっと深く楽しく受け入れることができただろう。なんといっても、あの国では「驚く」機会に事欠かなかったのだから。

コリンは本書の「はじめに」の中で、エセックス州コルチェスターに住んでいることを明かしている。実を言うと僕も、イギリスにいたあいだにコルチェスターに部屋を借りていたことがある。コリンと重なる時期に住んではいないが、いまコリンが住んでいる家と僕が当時借りていたアパートは「石を投げると当たる」くらいの距離だ。

コルチェスターは(コリンには悪いけれど)日本の平均的都会人の感覚からすると、あまり取りえのない地方都市にみえる。ロンドン近郊の人口二〇万ほどの、一見して「しょぼい」町である。観光旅行でイギリスに行くのなら、コルチェスター以外にも見どころはたくさんあるのだろう。

ただし、その「しょぼさ」の陰に隠れていた歴史がとてつもなく大きなものだったことが今なら僕にもわかる。まずコルチェスターが、なぜブリテン島でのローマの「首都」になったことを宣伝していたかだ。外敵に侵略されたことをキャッチコピーにするのはおかしな気がしていたのだが、この本を読んでその理由がやっとわかった。なぜ町なかにいきなり「ローマの壁」が現れたり、ほとんど石壁しか残っていない修道院の遺跡があちこちにあったかもわかった。

コルチェスターのこと以外にも、イギリス史全体について驚きながら学んだことはたくさんある。たとえば日本で銀行に口座を開くときなどに、「暗証番号は他人に推測されにくいものにしてください」とどこかに書かれているだろう。生年月日は避けましょうとか、そんなことだ。イギリスでも同じだった。

そのときにわからないことがひとつあった。暗証番号にするなという数字の例のなかに、必ずといっていいほど「1066」があったことだ。これがノルマン・コンクエストの年だということは知っていたが、なぜこの数字を暗証番号にする人が多いのかが理解できなかった。この本を読んで、無理もないと思った。なにしろイギリス史は「一〇六六年とその他」から成り立っているというのだから。

ほかにも翻訳作業は「驚き」の連続だった。オックスフォードで大学と町の「内戦」が起きていたなんて。「民主主義の原典」のようにいわれるマグナ・カルタは、封建貴族が自分たちの利益を守るために作ったものだったなんて。イギリスがアメリカの奴隷制から利益を得ていたなんて。大英帝国がボランティアでまかなわれていたなんて。ヒトラーがリバプールに半年住んでいて、あのチームのサポーターだったことがあるかもしれないだなんて！　本書のタイトルを「驚きの英国史」に決めた直後に、二〇一二年ロンドン・オリンピックの開会式のテーマが「驚きの島々」に決まったと報じられたことも、偶然とはいえ僕たちには奇妙な驚きだった。

もうイギリスには「帝国」だったころの力はないとしても、この国は歴史という財産と、新たに獲得しつづける活力によって、これからもさまざまな驚きを僕たちにもたらすのだろう。本当のところ、何がそれを可能にしているのか。コリンにはそのあたりを、またどこかで書いてほしいと思う。

二〇一二年五月

森田浩之

校正　鶴田万里子
DTPデザイン　佐藤裕久

コリン・ジョイス Colin Joyce
1970年、ロンドン東部のロムフォード生まれ。
オックスフォード大学で古代史と近代史を専攻。
92年来日し、高校の英語教師、『ニューズウィーク日本版』記者、
英紙『デイリーテレグラフ』東京特派員を経て、フリージャーナリストに。
07年に渡米し、10年帰国。著書に『「ニッポン社会」入門』、
『「アメリカ社会」入門』、『「イギリス社会」入門』など。

森田浩之 もりた・ひろゆき
ジャーナリスト。立教大学兼任講師。早稲田大学政経学部卒。
ロンドン・スクール・オブ・エコノミクス(LSE)メディア学修士。
主な訳書に『「イギリス社会」入門』、『「ジャパン」はなぜ負けるのか』。
著書に『メディアスポーツ解体』、『スポーツニュースは恐い』など。

NHK出版新書 380

驚きの英国史

2012(平成24)年6月10日　第1刷発行

著者　コリン・ジョイス
訳者　森田浩之
発行者　溝口明秀
発行所　NHK出版
〒150-8081東京都渋谷区宇田川町41-1
電話 (03) 3780-3328 (編集) (0570) 000-321(販売)
http://www.nhk-book.co.jp (ホームページ)
http://www.nhk-book-k.jp (携帯電話サイト)
振替 00110-1-49701

ブックデザイン　albireo
印刷　太平印刷社・近代美術
製本　二葉製本

Printed in Japan ISBN978-4-14-088380-8 C0222

NHK出版新書好評既刊

「一九〇五年」の彼ら
「現代」の発端を生きた十二人の文学者
関川夏央
日露戦争勝利という国民国家としてのピークの時代を生きた著名文学者の「当時」とその「晩年」をえがき、現代人の祖形を探る意欲的な試み。
378

外尾悦郎、ガウディに挑む
解き明かされる「生誕の門」の謎
星野真澄
サグラダ・ファミリア教会の顔・生誕の門「扉」の制作がついに始まった。その大役を担う日本人彫刻家・外尾悦郎。彼が掴んだガウディ思想の核心とは。
379

驚きの英国史
コリン・ジョイス
森田浩之 訳
神話・伝説の時代からフォークランド紛争まで。イギリスの現在を形づくってきた歴史の断片を丹念に拾い集め、その興味深い実像に迫る。
380

失われた30年
逆転への最後の提言
金子勝
神野直彦
年金、財政、エネルギー政策……危機の本質を明らかにし、新しい社会や経済システムへの抜本的改革案を打ち出す緊迫感に満ちた討論。
381

赤ちゃんはなぜ父親に似るのか
育児のサイエンス
竹内薫
新米パパが科学知識を武器に育児をしたら⁉ 自身の体験を交え、妊娠・出産・育児にまつわるエピソードを多数紹介した抱腹絶倒のサイエンス書。
382

NS